Imasugu Tsukaeru Kantan Series

今すぐ使えるかんたん

iMovie

改訂4版

動画編集入門

macOS/iOS/iPadOS 対応版

JN006380

技術評論社

本書の使いかた

● 本書の各セクションでは、画面を使った操作の手順を追うだけで、
iMovieの各機能の使い方がわかるようになっています。

● 操作の流れに番号を付けて示すことで、操作手順を追いやすくしてあります。

セクションという単位ごとに
機能を順番に解説しています。

セクション名は具体的な
作業を示しています。

セクションの解説内容の
まとめを表しています。

覚えておきたいキーワー
ドを表示しています。

操作内容の見出しです。

番号付きの記述で操作の
順番が一目瞭然です。

読者が抱く
小さな疑問を予測して、
できるだけていねいに
解説しています。

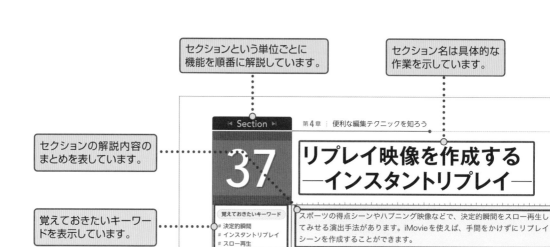

薄くてやわらかい
上質な紙を使っているので、
開いたら閉じにくい書籍に
なっています！

ページの中には、次の4種類の「解説」を配置しています。

Memo
補足説明

Hint
便利な操作

Key Word
重要用語解説

Step up
応用操作解説

3 インスタントリプレイが追加された

クリップが3つのセグメントに分割され、中央にインスタントリプレイが追加されます**1**。追加された部分には自動的に＜インスタントリプレイ＞というタイトルが付加されます**2**。

1 タイトルが付加される

2 追加された

Hint タイトルを変更する

ビューア上のタイトルをダブルクリックすると、タイトルを変更できます。

ページ上部には、セクション名とセクション番号を表示しています。

2 インスタントリプレイを調整する

1 継続時間を調整する

クリップ上のフレームアイコンを左右にドラッグすると、再生速度は変えずに、継続時間を延長／縮小することができます**1**。

8.8秒 - インスタントリプレイ

1 ドラッグする

Hint アイコンが表示されない

インスタントリプレイが短すぎる場合は、フレームアイコンが表示されない場合があります。その場合は、タイムラインの右上にあるスライダを右にドラッグし、クリップを拡大すると表示される場合があります。

章が探しやすいように、ページの両側に章の見出しを表示しています。

2 速度を調整する

インスタントリプレイの＜カメ＞をクリックすると**1**、速度コントロールが表示され、リプレイする際の速度を変更できます（P.95のHint参照）。うまく速度コントロールが表示されない場合は、ビューア上部の＜速度＞をクリックしましょう**2**。

2 クリックする インスタントリプレイ

1 クリックする

大きな画面で該当個所がよくわかるようになっています！

97

3

Contents

第4章　便利な編集テクニックを知ろう

第**5**章　**タイトルやBGMを追加しよう**

第**6**章　**編集したムービーを書き出そう**

第7章 iPad／iPhoneでiMovieを使おう

Contents

第 **1** 章

iMovieの基本を知ろう

01 編集をはじめる前に

映像の編集作業をはじめる前に、iMovieに関するいくつかの情報を知っておきましょう。iMovieをまだ用意していない場合は、iMovieの入手方法について確認しておきます。

1 iMovieの入手方法

iMovieは、Apple社が提供するアプリケーションのうちのひとつで、無料で配布されています。Macに標準でインストールされているので、改めてダウンロードする必要はありませんが、インストールされていない場合や、バージョンが古い場合は、最新版のiMovieをインストールする必要があります。

iMovieは2013年10月22日より、バージョン10.0にバージョンアップされると同時に、無料のソフトウェアとしてリリースされました（2024年6月現在のバージョンは10.4）「Mac App Store」（iOSバージョンはAppStore）からダウンロードして入手します。
また、iMovieが対応するOSはmacOS Ventura（13.5）以降となっているため、古いOSをご使用の場合は注意が必要です。

●MacApp Store

AppStoreから「iMovie」で検索すると、iMovieのダウンロード画面を開けます。

Memo iMovieの動作環境

iMovieが動作するためには、以下の動作環境を満たしている必要があります。

・macOS Ventura（13.5）以降
・4GBのRAM
・3.5GBの空きディスク領域

2 映像編集に便利な機器・ソフト

●外付けハードディスク

ハードディスクの空き容量に不安がある場合は、素材ファイル、プロジェクトの保存用にあらかじめ外付けのハードディスクを用意するとよいでしょう。書き込み/読み込み速度が速いSSDがおすすめです。

●外付け光学ドライブ

最近のMacではDVDドライブが内蔵されていません。ムービーをDVDに出力するためには、別途外付けのドライブを用意する必要があります。DVDへの書き出しについて、詳しくはP.146を参照してください。

●DVD作成ソフト

iMovieで作成したムービーは、iMovie単体では直接DVDへ書き出しすることはできません。別途DVD作成ソフトを用意する必要があります。
DVD作成ソフトについて、詳しくはP.146を参照してください。

●iPhone／iPad

Mac版iMovieで編集したムービーを、各種iOSデバイスに持ち出すことで、外出先でいつでも作品を見ることができます。また、iOS版iMovieがあれば、Macがなくても同様の編集を行うことが可能です。
iOS版iMovieについては、第7章を参照してください。

 **Hint** 古いDVカメラと最新のMacを接続する

テープメディアを使う古いDVカメラなどは、接続端子としてIEEE1394 (FireWire) を使用していますが、最新のMacでは、USB (Type-C) 端子しか搭載されていません。そのような場合は、変換アダプタなどを利用してFireWireからUSB (Type-C) 端子へ変換します。接続例は、以下の図の通りです。

Mac　　Thunderbolt 3(USB-C)　Thunderbolt　FireWire　FireWire　DVカメラ
　　　　　-Thunderbolt 2　　　-FireWire　変換アダプタ　ケーブル
　　　　　アダプタ　　　　　　アダプタ　（9ピン⇔4ピン）（4ピン⇔4ピン）

◀ Section ▶

02 iMovieでできること

覚えておきたいキーワード
予告編
テーマ
iOS版iMovie

iMovieは、各種カメラで撮影した映像をつなぎ合わせてひとつの映像をつくる「映像編集」を、専門的な知識や技術がなくても誰でも簡単に行えるよう開発されたアプリケーションです。

1 iMovieはこんなソフト

iMovieは「映像編集ソフト」です。映像編集といえば、今までは編集に特別な知識や技術が必要だったり、時間や手間がかかったりするものでした。その結果、子どもの運動会や旅行先でビデオ撮影はするものの、そのまま撮りっ放しで見返すこともなく、データばかりが増えていく、といった状況におちいりがちでした。

このように、従来はハードルが高かった映像編集が、iMovieを使えばあらかじめ用意されたテーマを利用することで編集にかかる手間を軽減し、驚くほど手軽に見栄えのする作品を作ることが可能になります。

また、YouTubeなどの動画共有サービスを使用すれば、編集したムービーをすぐにインターネット上に公開することができます。そのため、遠く離れた友人や親戚に、いちいちDVDを送付しなくてもムービーを見てもらうことができます。

iMovieは、直観的な編集操作で簡単にムービーを作成できます。テーマを使えば、さらに手軽に見栄えのするムービーに仕上げることが可能です（P.13参照）。

2 iMovieでムービーを作る方法

iMovieでは、大きく分けて3つの方法でムービーを作ることができます。目的に応じて使い分けましょう。

▶「予告編」を利用する方法

あらかじめ用意されたいろいろなジャンルの絵コンテに沿って、素材となる映像を選択していき、テキストを打ち変えていくだけで、雰囲気たっぷりの映画予告編風ムービーを作成できます（P.78 参照）。

▶「テーマ」を利用する方法

「映画予告編」と同様に、あらかじめ用意された様々なテーマを使用し、素材映像を配置していくだけで場面転換やタイトルイメージなどを自動で作成します。後はBGMやタイトルを設定するだけで、手軽に見栄えのするムービーを作ることができます。

▶ すべて自分で編集する方法

テーマを使わず、すべて自分で映像のつなぎ（トランジション）やタイトルを配置していく方法です。一から配置していくので他の方法よりは少し手間はかかりますが、その分自由度が高くなります。
iMovie の操作に慣れたら、ぜひチャレンジしてみましょう。

📝 Memo　iOS版iMovieについて

iMovieには、iPadやiPhoneなどのiOS端末で使用できるiOS版が用意されています。Mac版インターフェイスとは異なり、簡略化されている箇所もありますが、できることは基本的に同じです。iOS版iMovieについては、第7章を参照してください。

03 ムービーの制作手順を知る

覚えておきたいキーワード
- # プロジェクト
- # トランジション
- # BGM

iMovie は手間のかかる映像編集作業が効率よく行えるように設計されています。素材選び、各素材の配置、トランジション、タイトルやBGMの配置などの手順を理解しておきましょう。

1 ムービーの制作手順

1 映像素材を取り込む

撮影した映像をiMovieで扱えるように取り込みます。映像素材には、ビデオカメラやiPhoneで撮影した映像のほか、写真を扱うこともできます（P.22〜P.28参照）。

2 映像素材を配置する

iMovieを使った映像編集作業を行います。まずはプロジェクトを作成し（P.42参照）、取り込んだ映像素材（クリップ）の中から使用する範囲をおおまかに選択して、タイムラインに配置します（P.44参照）。映像の流れを確認しながら、無駄なシーンを省き、テンポのよい映像に編集していきます。

3 映像素材を取り込む

配置した映像に、映像の切り替え時の効果（トランジション、P.54参照）を与えたり、第4章で紹介する編集テクニックを駆使して演出を加えていきます。オープニングタイトルや状況説明のための字幕（テロップ）なども、作品を盛り上げる要素のひとつです（P.118参照）。

4 音楽／ナレーションを加える

作品を印象付けるためにはBGMやナレーションを追加するとよいでしょう。お気に入りの曲だけでなく、iMovieにあらかじめ用意されている曲や効果音などを使うこともできます（P.122、P.123参照）。なお、YouTubeなどインターネット上に公開する場合は、著作権のある音楽の使用に十分注意しましょう。

5 ムービーを書き出す

完成したムービーを目的に応じて出力します。ムービーファイルとして出力するだけではなく、YouTubeなどの動画共有サイトやSNSなどへの出力も可能です（P.138 ～ P.143参照）。

04 iMovieの起動と終了

覚えておきたいキーワード

\# iMovieの起動
\# iMovieの終了
\# 全画面表示

iMovieを起動するには、Finderからアプリケーション内のアイコンをダブルクリックします。編集作業がやりやすいように、Dockを非表示にしておくとよいでしょう。

1 iMovieを起動する

1 iMovieをダブルクリックする

Finder を表示して [アプリケーション] をクリックします ❶。[iMovie] アイコンをダブルクリックします ❷。

Hint Dockに iMovieを登録する

iMovieをDockに登録しておくと、次回以降、Dockからすぐに起動できて便利です。Dockに登録するには、[iMovie] アイコンをDockにドラッグ＆ドロップします。

2 iMovieが起動した

iMovieが起動しました ❶。

2 iMovieを終了する

1 [iMovieを終了]を クリックする

メニューから[iMovie]をクリックし**1**、
[iMovieを終了]をクリックします**2**。

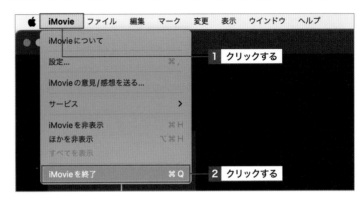

2 iMovieが終了した

iMovieが終了し、デスクトップ画面が表
示されました**1**。

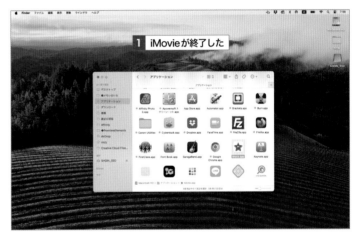

Hint iMovieを少しでも快適に使用するために

画面下部のDockを非表示にすることで、画面を
広く使えるようになり、作業がやりやすくなりま
す。システム環境設定から[デスクトップと
Dock]をクリックし、[Dockを自動的に表示/非
表示]をクリックしてオンにします**1**。その後、
iMovieのウィンドウをドラッグして画面いっぱ
いに広げます。最大化ボタン(iMovieのウィンド
ウ左上にある緑色のボタン)を押してもいいです
がメインメニューが常時表示されないため本紙
では使用しません。

17

05 iMovieの画面構成を知る

覚えておきたいキーワード

\# ツールバー
\# ブラウザ
\# 「ライブラリ」リスト

iMovieの基本画面の名称とその機能について解説します。iMovieの画面は、大きく分けて5つのエリアに分かれています。それぞれのエリアの機能について把握しておきましょう。

1 iMovieのエリア構成

※プロジェクト（P.42参照）作成後の画面。

❶ツールバー	素材の読み込みや完成したムービーの書き出しなどをおこなえるボタンが設置されています。
❷「ライブラリ」リスト	iMovieに読み込んだ素材（クリップ）などが表示される「ライブラリ」セクションや、作成したプロジェクトが表示される「プロジェクトメディア」セクションに分かれています。
❸ブラウザ	「ライブラリ」リストで選択したライブラリの内容を一覧表示します。選択した項目によって表示される内容が変わります。
❹ビューア	クリップや編集中の映像を確認するエリアです。
❺タイムライン	動画や音楽などの素材（クリップ）を配置して、編集を行うエリアです。配置されたクリップはサムネールとして表示され、長さを変更したり順番を入れ替えたりできます。

2 iMovieの画面構成（ボタン説明）

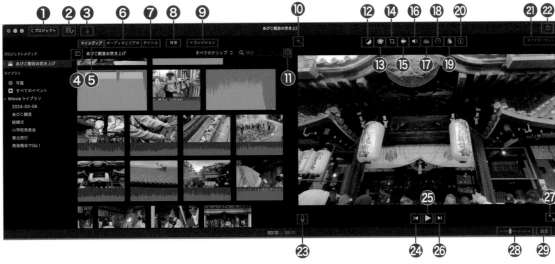

❶ ［プロジェクト］	プロジェクト画面に戻ります。
❷ ［メディアライブラリを表示／隠す］	「ライブラリ」リストとブラウザを表示／非表示にします。
❸ ［読み込む］	各種メディアから素材を読み込む画面を表示します。
❹ ［ライブラリ・リストを表示／隠す］	「ライブラリ」リストの表示／非表示を切り替えます。
❺ ［マイメディア］	iMovieに読み込んだ素材をブラウザに参照します。
❻ ［オーディオとビデオ］	音楽やサウンドエフェクトの一覧をブラウザに表示します。
❼ ［タイトル］	タイトルや字幕の一覧をブラウザに表示します。
❽ ［背景］	地図と背景の一覧をブラウザに表示します。
❾ ［トランジション］	ムービーの切り替え効果の一覧をブラウザに表示します。
❿ ［自動補正］	色調や音量などをワンクリックで自動的に補正します。
⓫ ［サムネールのアピアランス］	ブラウザ内のクリップ表示の大きさなどを設定します。
⓬ ［カラーバランス］	色味やホワイトバランスを調整します。
⓭ ［色補正］	クリップの明るさやコントラスト、彩度、色温度を調整します。
⓮ ［クロップ］	クリップの切り抜きや角度変化、Ken Burns エフェクトを設定します。
⓯ ［手ぶれ補正］	ビデオの手ぶれやゆがみを補正します。
⓰ ［ボリューム］	クリップごとの音量を調整します。
⓱ ［ノイズリダクションおよびイコライザ］	オーディオに対してノイズ除去やイコライザで音質を調整します。
⓲ ［速度］	クリップの再生速度を調整します。
⓳ ［ビデオ／オーディオエフェクト］	クリップの映像や音声に様々な効果を与えることができます。
⓴ ［クリップ情報］	選択したクリップの撮影日時や継続時間を表示します。
㉑ ［すべてをリセット］	設定した各種補正情報をリセットします。
㉒ ［共有］	編集したムービーをファイルとして出力したり、SNSで共有したりします。
㉓ ［アフレコを録音］	音声を録音するボタンを表示します。
㉔ ［前へ］	クリックで再生ヘッドをクリップの先頭に移動、長押しすると早戻します。
㉕ ［再生／一時停止］	クリックで再生と一時停止を切り替えます。
㉖ ［次へ］	クリックで再生ヘッドをクリップの末尾に移動、長押しすると早送りします。
㉗ ［フルスクリーンで再生］	全画面で再生します。
㉘ ［タイムラインを拡大／縮小］	左右にドラッグすることで、タイムライン表示を拡大または縮小します。
㉙ ［設定］	プロジェクト全体に関する、テーマやタイムラインの見た目を設定します。

ショートカットキーを覚えておくと、効率よく作業を進めることができます。ぜひ活用しましょう。

プロジェクトと素材の管理	
command + n	新規ムービーを作成する（プロジェクト画面）。
command + i	メディアを読み込む。
f	選択した部分をよく使う項目として設定する。
u	ブラウザのクリップに設定した「よく使う項目」や「不採用」のマークをクリアする。
delete	ブラウザで選択したクリップを「不採用」としてマークする。 また、タイムライン上で選択したクリップを削除する。
command + delete	プロジェクト画面で選択したプロジェクトを削除する。 また、ブラウザや「ライブラリ」リストで選択したクリップやイベントを削除する。
ムービーの再生	
スペース バー	再生ヘッドの位置から再生／一時停止する。
\	タイムラインの先頭から再生する。
/	選択範囲を再生する。
l	再生する。繰り返し押すと再生スピードが上がる。
j	逆再生する。繰り返し押すと再生スピードが上がる。
k	再生／逆再生中に一時停止する。
→	1フレームずつ進む。
←	1フレームずつ戻る。
↑	クリップの先頭に戻る。
↓	次のクリップに進む。
command + shift + f	フルスクリーンで再生する。
esc	フルスクリーン表示を終了する。
ムービーの編集	
e	選択した部分をタイムラインの最後尾に追加する。
q	選択した部分を再生ヘッドの位置にカットアウェイで配置する。
w	選択した部分を再生ヘッドの位置に挿入する。
x	クリップ全体を選択する。
v	アフレコ録音コントロールを表示する。
m	再生ヘッドの位置にマーカーを追加する。
command + t	選択したタイムライン上のクリップの前後にクロスディゾルブを追加する。
command + ^	タイムラインを拡大表示する。
command + −	タイムラインを縮小表示する。
command + 1	ブラウザにマイメディアを表示する。
command + 2	ブラウザにオーディオを表示する。
command + 3	ブラウザにタイトルを表示する。
command + 4	ブラウザに背景を表示する。
command + 5	ブラウザにトランジションを表示する。
command + 6	テーマの選択画面を表示する。
command + shift + 1	ライブラリを表示／非表示する。

第 **2** 章

ムービー素材の読み込みと
基本操作を知ろう

06 iPhone ／ iPadから 動画を読み込む

覚えておきたいキーワード
- # iPhone
- # iPad
- # USB Type-Cケーブル

iPhoneやiPadを使って撮影された映像は、LlghtningケーブルやUSB Type-Cケーブル経由でiMovieに読み込みます。

1 iPhoneから動画を転送する

1 iPhone (iPad) を接続する

iPhone (iPad) をLightningケーブルなどのケーブルでMacに接続します。

2 「読み込む」画面を表示する

iMovieのプロジェクト画面で[メディア]をクリックし**1**、[読み込み]をクリックします**2**。

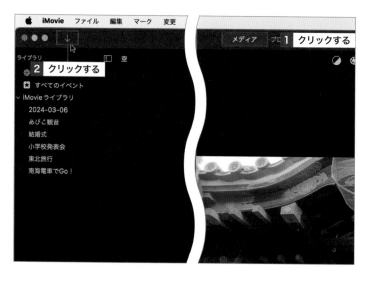

> **Hint** プロジェクト作成後でも読み込み可能
>
> ここではプロジェクト作成前の画面で解説していますが、P.44の方法でプロジェクトを作成したあとでも、[読み込み]をクリックすれば素材を読み込むことができます。

3 iPhoneを選択する

「読み込む」画面が表示され、サイドバーの「カメラ」セクションからiPhone名をクリックすると**1**、iPhone本体に記録された映像の一覧が表示されます。

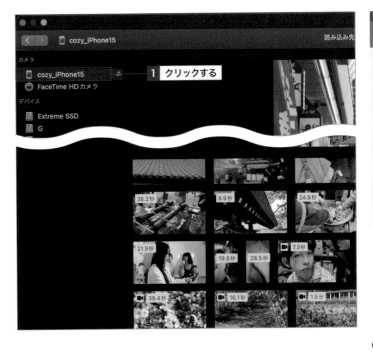

4 読み込み先を指定する

「読み込む」画面上部の[読み込み先]ポップアップメニューから、読み込み先のイベントを選択します**1**。新しくイベントを作成する場合は、ポップアップメニューから[新規イベント]をクリックし、イベント名を入力します。

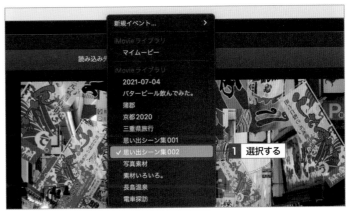

5 動画を読み込む

選択した動画だけを読み込む場合は、一覧から読み込みたい映像のサムネールを[command]を押しながらクリックして選択し、[選択した項目を読み込む]をクリックします**1**。

☀ Hint 写真を読み込む

iPhoneなどから写真を読み込むには、「読み込む」画面の右上にあるオプションポップアップメニューから[写真]を選択します。

6 読み込みが完了した

読み込みが完了すると、「読み込む」画面が閉じ、読み込みが完了を知らせるメッセージが表示されます。iPhone（iPad）を取り外す場合は、[取り出す]をクリックします**1**。

📝 **Memo** 「読み込む」画面の詳細

名称	内容
❶［戻る／進む］	クリックすると、1つ前や1つ先に表示した画面を順番に切り替えます。
❷「カメラ」セクション	接続されたカメラが表示されます。カードリーダーを使用した場合も、カメラとして認識されます。お使いのMacに内蔵カメラがある場合は、FaceTimeカメラがリストに表示され、「読み込む」画面上で動画を記録することができます。
❸「デバイス」セクション	iMovieからアクセス可能なデバイスが表示されます。
❹「よく使う項目」セクション	よく使う項目を登録しておくことができます。「デバイス」セクション内のリストを選択し、よくアクセスするフォルダを[よく使う項目]にドラッグすることで登録できます。項目から外す場合は、項目名を Control ＋クリックし、コンテクストメニューから「サイドバーから削除」を選択します。

名称	内容
❺［読み込み先］ ポップアップメニュー	動画を読み込むイベントを指定します。新しいイベントとして読み込む場合は［新規イベント］をクリックし、イベント名を入力します。 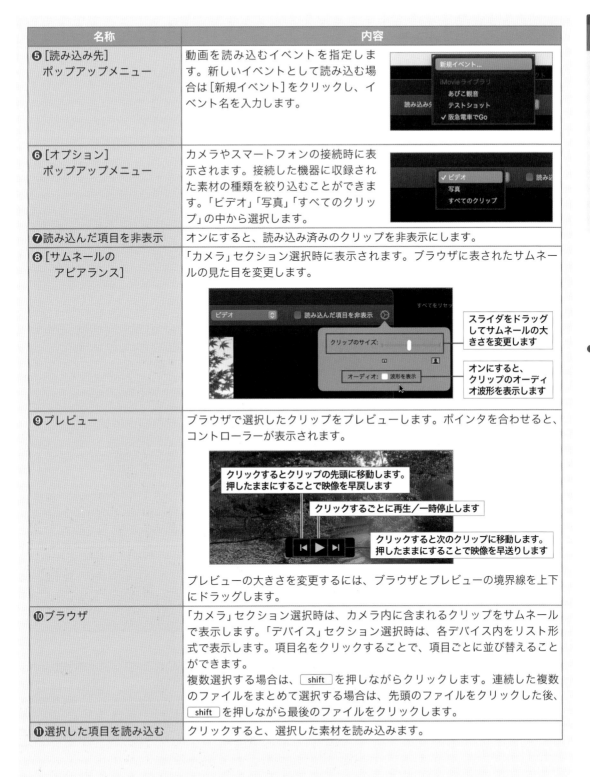
❻［オプション］ ポップアップメニュー	カメラやスマートフォンの接続時に表示されます。接続した機器に収録された素材の種類を絞り込むことができます。「ビデオ」「写真」「すべてのクリップ」の中から選択します。
❼読み込んだ項目を非表示	オンにすると、読み込み済みのクリップを非表示にします。
❽［サムネールの アピアランス］	「カメラ」セクション選択時に表示されます。ブラウザに表されたサムネールの見た目を変更します。
❾プレビュー	ブラウザで選択したクリップをプレビューします。ポインタを合わせると、コントローラーが表示されます。 プレビューの大きさを変更するには、ブラウザとプレビューの境界線を上下にドラッグします。
❿ブラウザ	「カメラ」セクション選択時は、カメラ内に含まれるクリップをサムネールで表示します。「デバイス」セクション選択時は、各デバイス内をリスト形式で表示します。項目名をクリックすることで、項目ごとに並び替えることができます。 複数選択する場合は、 shift を押しながらクリックします。連続した複数のファイルをまとめて選択する場合は、先頭のファイルをクリックした後、 shift を押しながら最後のファイルをクリックします。
⓫選択した項目を読み込む	クリックすると、選択した素材を読み込みます。

図中の注釈：

- スライダをドラッグしてサムネールの大きさを変更します
- オンにすると、クリップのオーディオ波形を表示します
- クリックするとクリップの先頭に移動します。押したままにすることで映像を早戻します
- クリックするごとに再生／一時停止します
- クリックすると次のクリップに移動します。押したままにすることで映像を早送りします

07 「写真」アプリから写真を読み込む

覚えておきたいキーワード
写真ライブラリ
アルバム
モーメント

Macの「写真」アプリで管理している写真は、「ライブラリ」リストの写真ライブラリから確認することができます。写真ライブラリから、iMovieライブラリに写真をコピーすることも可能です。

1 「写真」アプリから写真を読み込む

1 「写真」アプリの写真を表示する

サイドバーの「ライブラリ」リストにある[写真]をクリックすると**1**、ブラウザに「写真」アプリで管理している写真が一覧で表示されます。目的の項目をダブルクリックして開きます**2**。

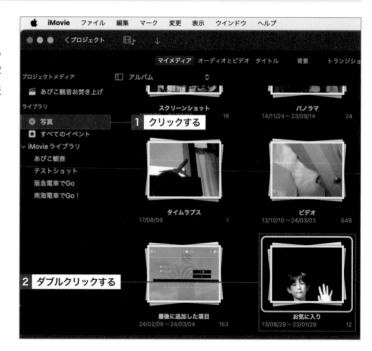

2 写真を確認する

項目内に含まれる写真が一覧で表示されます。写真にポインタを合わせると**1**、プレビューで確認することができます**2**。

3 写真をコピーする

ブラウザから目的の写真を、コピー先の
イベントにドラッグします **1**。複数の写
真を指定する場合は、[command] を押しな
がらクリックして選択します。

1 ドラッグする

☀ Hint Finderや写真アプリからiMovieに直接クリップを取り込む

Finderや Macの写真アプリ
で写真一覧を表示し、iMovie
に取り込みたい写真を iMovie
プロジェクトのタイムライン
に直接ドラッグします。
写真の場合は、通常 KenBurns
の効果付き静止画としてタイ
ムラインに配置されます。時
間や効果は [iMovie] → [環境
設定] の順にクリックし設定
します。
動画は写真アプリから直接配
置すると静止画として扱われ
ます。一度デスクトップにド
ラッグしてから iMovieのタ
イムラインにドラッグすると
動画として配置されます。

☀ Hint 項目別に表示する

「写真」アプリでは、イベント以外にも様々な項目別で管理さ
れています。ポップアップメニューを切り替えることで、
iMovie上でも、それらの項目別に写真を表示することができ
ます。

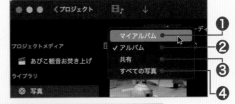

名称	内容
❶マイアルバム	「写真」アプリ上で作成したアルバムを表示します。
❷アルバム	写真の種類によって自動的に分類されたアルバムを表示します。
❸共有	共有されている写真や動画を表示します。
❹すべての写真	写真アプリに読み込まれている画像をすべて表示します。

08 メモリーカードやMac内の ファイルを読み込む

覚えておきたいキーワード
\# メディアを読み込む
\# メモリーカード
\# Finder

メモリーカードやMac内に保存されている素材（動画、写真、オーディオ）をiMovieに読み込みます。「読み込む」画面から読み込めるほか、FinderからiMovieへ直接ドラッグすることでも読み込みが可能です。

1 ファイルを読み込む

1 ［メディアを読み込む］を クリックする

［ファイル］メニュー→［メディアを読み込む］の順にクリックします**1**。

2 デバイスとファイルを指定する

「読み込む」画面が開きます。サイドバーの「デバイス」セクションから、ムービーファイルが保存されているデバイスをクリックします**1**。画面下部のリストからフォルダを指定し、目的のファイルをクリックします**2**。なお、複数のファイルを指定する場合は、command を押しながらクリックします。

> **Hint メモリーカードから読み込む**
>
> メモリーカードから読み込む場合は、あらかじめメモリーカードをMacに接続しておきます。

3 読み込み先を指定する

「読み込む」画面上部の［読み込み先］ポップアップメニューから、読み込み先のイベントを選択します**1**。新しくイベントを作成する場合は、ポップアップメニューから［新規イベント］をクリックし、イベント名を入力します。

❊ Hint 「読み込む」画面の詳細

「読み込む」画面の詳細についてはP.24を参照してください。

4 ファイルを読み込む

［選択した項目を読み込む］をクリックし、選択したファイルをiMovieに読み込みます**1**。

5 読み込みが完了した

ブラウザに読み込んだファイルが並んでいることが確認できます**1**。

❊ Hint Finderから直接読み込む

FinderでメモリーカードやMac内のファイルを表示し、読み込み先のイベントへ直接ドラッグすることでも、ファイルを読み込むことができます。

SDカード経由ではなく、ビデオやデジタルカメラとMacを直接ケーブルで接続して、iMovieに動画を読み込むことも可能です。

1 「読み込む」画面を表示する

カメラ本体とMacを接続し、カメラの電源を入れます。iMovieを起動したら[メディア]をクリックし**1**、[読み込み]をクリックします**2**。

2 ビデオカメラを選択する

「読み込む」画面が表示され、サイドバーの「カメラ」セクションに読み込み可能なカメラが表示されます。目的のカメラをクリックします**1**。

3 読み込み先を指定する

「読み込む」画面上部の[読み込み先]ポップアップメニューから、読み込み先のイベントを選択します**1**。新しくイベントを作成する場合は、ポップアップメニューから[新規イベント]をクリックし、イベント名を入力します。イベントとは、読み込んだクリップやプロジェクトをiMovie内でまとめておくフォルダのようなものです（P.35参照）。

4 動画を読み込む

[すべてを読み込む]をクリックし**1**、表示されているすべての動画をiMovieに読み込みます。選択した動画だけを読み込む場合は、一覧から読み込みたいビデオクリップのサムネールを command を押しながらクリックして選択し、[選択した項目を読み込む]をクリックします。

◀ Section ▶

09 クリップとは

覚えておきたいキーワード

クリップ
ムービークリップ
オーディオクリップ

iMovieではビデオや写真、音楽など、動画編集に必要な各種素材をクリップとしてライブラリに読み込みます。読み込んだ各クリップをタイムライン上に配置することでムービーになります。

1 クリップとは

クリップとは、iMovieに読み込まれたビデオや写真、音声などの各種素材のことです。ブラウザに表示されたクリップをタイムラインに配置し、クリップの順番や長さを調整することで編集を行います。

iMovie上では、ビデオや写真などの各種クリップはそれぞれのファイルとリンクされており、編集時にクリップを加工したり削除した際には、クリップの情報に変更を加えるだけなので、元ファイルに手が加えられることはありません。

本書では、ビデオ素材のことをビデオクリップ、写真素材のことを写真クリップ、音声素材のことをオーディオクリップとそれぞれ記載します。

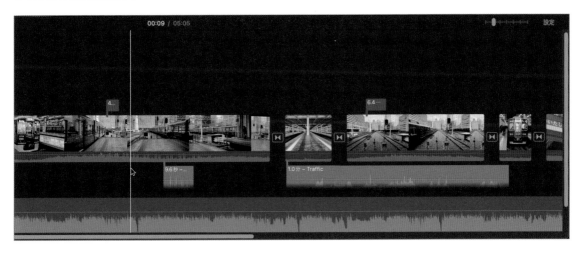

また、クリップとクリップをつなげる際に「トランジション」と呼ばれる画面遷移の効果を設定することで、画面の切り替わりを演出することも可能です（P.54参照）。

 →  →

10 読み込んだクリップを再生する

覚えておきたいキーワード
再生
スキミング
頭出し／先送り

iMovieに読み込んだクリップを再生して確認してみましょう。iMovieでは通常の再生や頭出し、早戻し以外に、クリップ上でポインタを移動するだけで簡易再生できる「スキミング」が可能です。

1 クリップを再生する

1 クリップを簡易再生する

目的のクリップにポインタを合わせ、左右に動かすと**1**、ポインタ上の内容がプレビューに表示されます。iMovieでは、これを「スキミング」といいます。

2 クリップを再生する

目的のクリップをクリックし**1**、▶をクリックするとプレビューが再生されます**2**。

Hint クリップをはじめから再生する

選択したクリップをはじめから再生したい場合は、クリップをクリックしてから[/]を押します。

2 クリップの頭出しや先送りを行う

1 クリップを頭出し／早戻しする

コントローラーの◀をクリックすると、
現在プレビュー中のクリップの先頭に再
生ヘッドが移動します**1**。また、◀を押
したままにすると、早戻しになります。

2 クリップを先送り／早送りする

コントローラーの▶をクリックすると、次
のクリップに移動します**1**。また、▶を
押したままにすると、早送りになります。

☀ Hint フルスクリーン再生する

コントローラーの↖をクリックすると、現
在プレビュー中のクリップを画面いっぱい
に広げて再生します。フルスクリーン時に
↖をクリックするか**1**、escを押すと、元
の表示に戻ります。

11 クリップの選択方法を知る

覚えておきたいキーワード
クリップ
部分選択
クリップの表示

iMovieでは、読み込まれた動画などの素材を「クリップ」と呼び、クリップをつなぎ合わせることで映像を編集します。ここでは、クリップ全体を選択する方法と、クリップの中の一部分を選択する方法について解説します。

1 クリップを選択する

1 クリップ全体を選択する

クリップをクリックすると、選択したクリップが黄色い枠で囲まれてクリップ全体が選択されます**1**。

2 クリップを部分選択する

r を押しながらクリップをドラッグすると、部分的に選択することができます**1**。また、クリップをクリックしたあとで、枠の左右をドラッグしても選択範囲を調整できます。

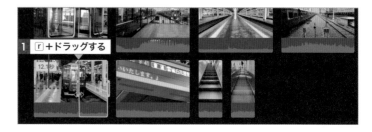

Hint クリップの表示を変更する

ブラウザの右上にある [サムネールのアピアランス] をクリックすると、クリップの表示を変更できます**1**。[クリップのサイズ] でクリップの大きさ、[拡大／縮小] で継続時間の長さを変更でき、[オーディオ] でクリップのオーディオ波形を表示できます。

Section 12

クリップをイベントで整理する

覚えておきたいキーワード
新規イベント
イベント
イベントを結合

iMovie に読み込んだクリップは、すべてイベントにまとめられます。読み込み後に別のイベントに移動することもできるので、自分が管理しやすいように整理しておくとよいでしょう。また、イベントの結合や削除も可能です。

1 クリップを別のイベントに移動する

1 新規イベントを作成する

「ライブラリ」リストの [iMovie ライブラリ] を選択し、[ファイル] メニュー→ [新規イベント] の順にクリックすると**1**、イベントを作成できます。

2 クリップを別のイベントに移動する

「ライブラリ」リストから、移動させたいクリップが含まれたイベントを選択し、対象となるクリップを command を押しながらクリックします**1**。クリップを移動先となるイベントにドラッグすると、クリップが別のイベントに移動します**2**。

Hint イベントを結合／削除する

イベントを結合する場合は、command を押しながらイベントを複数選択し、[ファイル] メニュー→ [イベントを結合] の順にクリックします。イベントを削除する場合は、イベントを選択し、[ファイル] メニュー→ [イベントを削除] の順にクリックします。

13 不要なクリップを 非表示／削除する

覚えておきたいキーワード
- \# マーク
- \# 不採用
- \# ゴミ箱に入れる

編集中、不要なクリップがあると作業の邪魔になります。iMovieでは、不要なクリップを作業対象から外すために、一時的に非表示にする方法と、ファイルそのものを削除する方法の2つの方法が用意されています。

1 クリップを非表示（不採用）にする

1 不要なクリップを選択する

「ライブラリ」リストからイベントを選択し、ブラウザ内にクリップを表示します。不要なクリップをクリックします**1**。

🔅 Hint　クリップの一部を選択する

クリップの一部を選択する場合は、[r]を押しながらドラッグして選択します。

2 クリップを不採用にする

[delete]を押すか、[マーク]メニュー→[不採用]の順にクリックします**1**。

3 クリップが不採用になった

不採用になったクリップ上部に赤いラインが表示されます**1**。

4 不採用のクリップを非表示にする

ブラウザ右上のポップアップメニューから
[不採用を非表示]をクリックすると、不
採用のクリップが非表示になります。

2 クリップを削除する

1 不要なクリップを選択する

「ライブラリ」リストからイベントを選択
し、ブラウザ内にクリップを表示します。
不要なクリップをクリックします。

2 クリップをゴミ箱に入れる

command を押しながら delete を押すか、
[ファイル]メニュー→[イベントからメ
ディアを削除]の順にクリックし、選択し
たクリップを削除します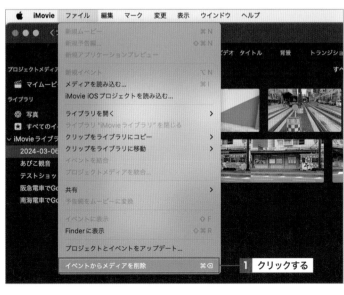。

Memo 「不採用」と「削除」の違い

「不採用」は使用しない部分にマークを付け
て、ほかのクリップと区別し、一時的に非
表示にするものです。これに対し「削除」は、
iMovieに読み込んだムービーファイルその
ものを削除するものです。ファイルそのも
のが削除されるので、削除後はiMovieで利
用できなくなります。

14 よく使うクリップに マークを付ける

覚えておきたいキーワード
よく使う項目
評価なし
緑色のライン

iMovieでは、よく使う素材（クリップ）にマークを付けることができます。クリップにマークを付けると、マークの付いたクリップのみを抽出できるようになります。編集作業時に使いたい項目を選ぶのに便利です。

1 よく使う項目に登録する

1 よく使うクリップを選択する

「ライブラリ」リストからイベントを選択し、ブラウザにクリップを表示します**1**。ブラウザで、登録したいクリップをクリックし、クリップ全体を選択します**2**。複数のクリップを選択するには、command を押しながらクリックします。

Memo クリップの一部を登録する

ブラウザで、クリップの一部を r を押しながらドラッグしてからよく使う項目に登録します。

2 よく使う項目に登録する

［マーク］メニュー→［よく使う項目］の順にクリックします**1**。

Key Word マーク

iMovieでは、クリップにマークを付けることで、マークを付けたクリップだけを選別して表示することができます。特定のクリップのみを表示したい場合に便利です。

3 登録された

「よく使う項目」に登録されると、ブラウザのサムネールの上部に緑色のラインが表示されます。

1 緑のラインが表示される

---

2 よく使う項目のみを表示する

1 表示するクリップを絞り込む

ブラウザの右上のポップアップメニューから、[よく使う項目]をクリックします**1**。

1 クリックする

> **Memo** 表示可能な項目
>
> ポップアップメニューから、ブラウザに表示するクリップを選択することができます。
>
> - **「すべてのクリップ」**：すべてのクリップを表示
> - **「不採用を隠す」**：不採用にしたクリップを非表示
> - **「よく使う項目」**：よく使う項目を表示
> - **「不採用」**：不採用にしたクリップを表示

2 よく使う項目が表示される

[よく使う項目]マークの付いたクリップだけが表示され、その他のクリップは非表示になります**1**。

1 表示される

3 マークを外す

1 クリップを選択する

ブラウザで、よく使う項目から外したい
クリップをクリックし、クリップ全体を選
択します**1**。

2 マークを外す

[マーク]メニュー→[評価なし]の順にク
リックすると、マークを外すことができ
ます**1**。

☼ Hint 一部だけよく使う項目から外す

よく使う項目から外したい部分をドラッ
グして選択し、[マーク]メニュー→[評価
なし]の順に選択すると、その部分だけ設
定したマークが除外され、よく使う項目か
ら外れます。
ドラッグして選択後、[u]を押すことでも同
様の操作が可能です。

第 **3** 章

ムービーを編集しよう

15 プロジェクトを作成する

覚えておきたいキーワード
プロジェクト
テーマ
作成

新しく編集作業を行うには、まず、プロジェクトを作成する必要があります。プロジェクトとは、いわばムービーの設計図で、いくつものクリップやエフェクトなどから構成されます。

1 プロジェクトを作成する

1 新規ムービーを作成する

［プロジェクト］をクリックしたら**1**、［新規作成］をクリックして**2**、［ムービー］をクリックします**3**。

Memo ［プロジェクト］の表示がない場合

［プロジェクト］が表示されていない画面は、すでにプロジェクトが開かれた状態です。画面左上の ＜プロジェクト をクリックしましょう。

2 プロジェクトが作成された

プロジェクトが作成され、「ライブラリ」リスト内に表示されます**1**。

2 プロジェクトを保存する

1 プロジェクトを保存する

[＜プロジェクト]をクリックすると**1**、プロジェクトの保存画面が開きます。プロジェクト名を入力し**2**、[OK]をクリックします**3**。

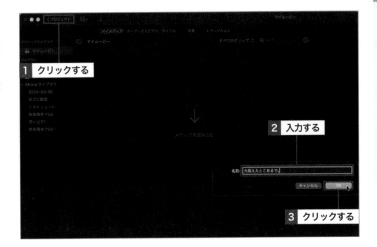

2 プロジェクトを表示する

プロジェクトが保存され、プロジェクト画面に戻ります。目的のプロジェクトをダブルクリックすると**1**、プロジェクトが表示されます。

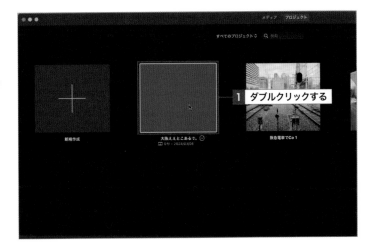

Step up タイムラインについて

タイムラインとは動画や写真、音楽などの素材（クリップ）を配置して、編集を行うエリアです。タイムラインに配置されたクリップはサムネールとして表示され、長さを変更したり順番を入れ替えたりすることで編集を行います。また、タイムライン上に配置されたクリップの上にさらに別のクリップをドラッグすることで、重ねたクリップを合成（グリーン／ブルースクリーン）したり、小さな画面（ピクチャ・イン・ピクチャ）を表示したりすることも可能です。

同時に設置できるのはタイトル×1、動画×2、BGM（ミュージックウェル）×1、オーディオ（フォアグラウンド）×無制限（iOS/iiPadOS版は3つまで）となっています。

16

クリップを
タイムラインに追加する

覚えておきたいキーワード

クリップ
タイムライン
イベント

ビデオクリップや写真、オーディオクリップといった素材は、タイムライン
に配置することではじめて、ムービーの一部として編集できるようになりま
す。ここでは、クリップをタイムラインに追加する方法を解説します。

1 クリップを追加する

1 クリップを選択する

「ライブラリ」リストから、使いたいクリッ
プが入ったイベントをクリックします **1**。
ブラウザで、目的のクリップをクリックし
て選択します **2**。

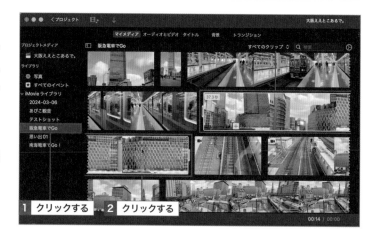

> ☀ Hint **クリップの一部分を選択する**
>
> ブラウザ上のクリップを r を押しながらド
> ラッグすると、クリップの一部を部分的に
> 選択することができます。

2 タイムラインに追加する

追加したい位置にクリップをドラッグす
ると、タイムラインにクリップが追加さ
れます **1**。

> ☀ Hint **タイムラインの末尾に追加する**
>
> クリップをクリックしたときに表示される
> [+]をクリックするか、e を押すと、クリッ
> プがタイムラインの末尾に追加されます。

2 クリップを置き換える

1 クリップをドラッグする

ブラウザで置き換えたいクリップを選択
し**1**、タイムライン上にある置き換え元
のクリップにドラッグして重ねます**2**。

2 ［置き換える］をクリックする

メニューが表示されるので、［置き換える］
をクリックします**1**。

> **Hint　その他の置き換え方法**
>
> タイムラインに配置済みのクリップの継続
> 時間を保ったまま、クリップの先頭から置
> き換えるには［始点から置き換える］をク
> リックします。同様に、クリップの終点を
> 基点として置き換える場合は［終点から置
> き換える］をクリックします。

> **Step up　クリップを挿入する**
>
> 手順**2**の画面で［挿入］をクリックすると**1**、ド
> ラッグ先にあったクリップは分割され、新しく
> クリップが挿入されます。

Section

17 クリップを移動／分割する

覚えておきたいキーワード

\# 移動
\# 分割
\# 結合

クリップはタイムラインに追加した後も、必要に応じて移動させたり、分割したりできます。分割されたクリップは、編集加工をしていなければ、結合してひとつのクリップに戻すこともできます。

1 クリップを移動する

1 クリップをドラッグする

移動させたいクリップをドラッグし、目的の位置まで移動させます**1**。

2 クリップが移動した

クリップの位置が変更されました**1**。

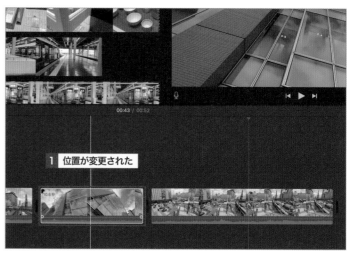

2 クリップを分割する

1 分割する位置をクリックする

クリップの分割したい位置をクリックして選択します**1**。

2 クリップを分割する

[変更] メニュー→[クリップを分割] の順にクリックして、クリップを分割します**1**。

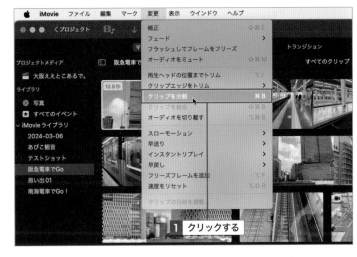

> **Memo** クリップの最小単位
>
> クリップは0.1秒が最小単位となります。それ以上細かくは分割できません。

> **Hint** クリップを結合する
>
> それぞれのクリップの分割点に変更が加えられていなければ、分割したクリップを結合することができます。分割されたクリップを複数選択し、[変更] メニュー→[クリップを結合] の順にクリックします**1**。なお、クリップ間にトランジションが含まれる場合は、P.57の方法で削除しておきます。

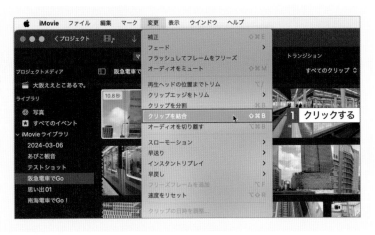

18 クリップの長さを調整する

<blockquote>
覚えておきたいキーワード
延長
短縮
トリム編集
</blockquote>

タイムラインに配置されたクリップは、元の長さの範囲内で、自由に長さ（継続時間）を変更することができます。また、クリップのトリム編集を使用すると、前後の映像を確認しながら調整することができます。

1 クリップの継続時間を調整する

1 クリップの開始点を調整する

タイムライン上のクリップの左端部を左右にドラッグすると、クリップの終了点を保ったまま、継続時間を延長／短縮することができます**1**。

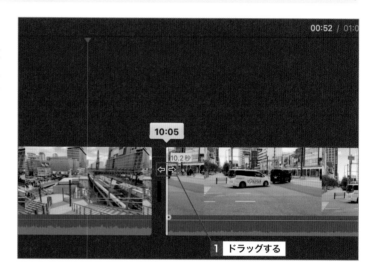

2 クリップの終了点を調整する

タイムライン上のクリップの右端部を左右にドラッグすると、クリップの開始点を保ったまま、継続時間を延長／短縮することができます**1**。

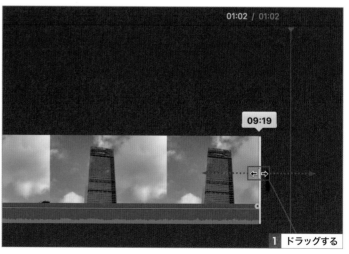

Memo 長さを延長できる範囲

クリップの継続時間は、元のクリップの長さよりも延長することはできません。

2 トリム編集で映像を確認しながら調整する

1 トリム編集を表示する

タイムライン上のクリップを選択し、[ウインドウ]メニュー→[クリップのトリム編集を表示]をクリックします**1**。

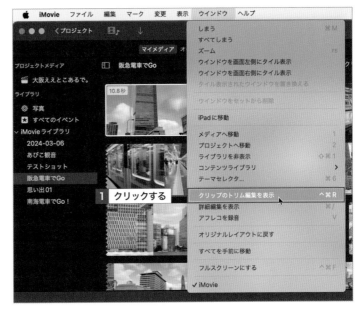

2 クリップの使用する範囲を変更する

トリム編集が開き、元のクリップが表示されます。トリム編集上でクリップを左右にドラッグすると、クリップの使用する範囲を変更することができます**1**。ドラッグ中は、ビューアにクリップの開始点と終了点の映像が表示されます。

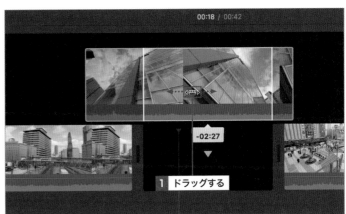

3 クリップの継続時間を変更する

トリム編集上で、クリップの端部をドラッグすると、クリップの継続時間を変更することができます**1**。 return を押すか、[クリップのトリム編集を閉じる]をクリックしてトリム編集を閉じます。

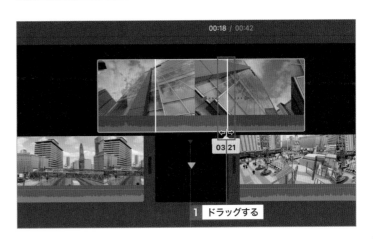

19 写真を映像として使う

覚えておきたいキーワード
- \# 写真ライブラリ
- \# 写真
- \# Ken Burnsエフェクト

Movieのプロジェクトには、写真データも素材として使用することができます。あらかじめ「写真」アプリから写真をイベントに読み込んでおくと便利です。なお、「写真」アプリから直接写真を読み込むこともできます。

1 写真を追加する

1 写真をクリックする

P.26の方法で、「写真」アプリから写真を読み込んでおきます。追加したい写真をクリックします **1**。

> **Hint タイムラインの末尾に追加する**
>
> 写真をクリックしたときに表示される[+]をクリックするか、eを押すと、クリップがタイムラインの末尾に追加されます。

2 写真をドラッグする

写真をタイムライン上の目的の位置にドラッグします **1**。

3 写真が追加された

タイムライン上に写真がクリップとして
追加されました**1**。写真は、初期設定で
は4秒間の映像としてタイムラインに追加
されます。必要に応じて継続時間を変更
してください。

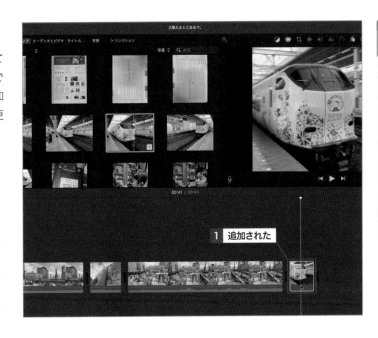

Memo 自動的に効果が追加される

写真がタイムラインに追加されると、自動
的にKen Burnsエフェクトが適用されま
す。Ken Burnsエフェクトは、静止画に動
的な効果を付けるものです。Ken Burnsエ
フェクトの詳細についてはP.52を参照して
ください。

Hint 「写真」アプリから直接読み込む

使用する写真は、あらかじめイベントに読み込んでおくと映像編集を効率よく行えます。また 、写真を「写真」アプリから直接タイ
ムラインに読み込むこともできます。

1 [写真ライブラリ]を クリックする

「ライブラリ」リストの[写真]をクリック
します**1**。ブラウザ内にサムネールが表
示されるので、対象となる項目をダブル
クリックして開きます**2**。

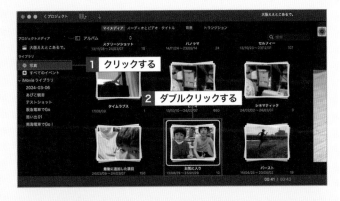

2 写真をドラッグする

タイムライン上の目的の位置にドラッグ
すると、写真をタイムラインに追加でき
ます**1**。

20 写真に動きを付ける

覚えておきたいキーワード
Ken Burnsエフェクト
開始時点
終了時点

Ken Burnsエフェクトを使えば、写真やビデオクリップにズームや移動などの効果を追加できます。縦位置で撮影された写真の全体を見せたり、映像の一部にズームして一点に注目させたいときなどに有効です。

---

1 Ken Burnsエフェクトを適用する

1 調整バーを表示する

タイムライン上の、Ken Burnsエフェクトを適用したいクリップをクリックし**1**、ビューア上部の[クロップ]をクリックします**2**。

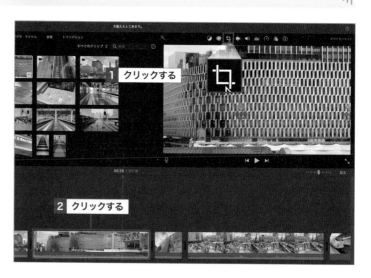

Memo 自動的に設定される場合もある

タイムライン上に写真が追加されると、自動的にKen Burnsエフェクトが追加されます。

2 Ken Burnsを有効にする

[スタイル]から[Ken Burns]をクリックします**1**。

Hint 動画にも適用できる

Ken Burnsエフェクトは、写真に対してだけでなく、動画にも適用することができます。

2 Ken Burnsエフェクトを設定する

1 開始時点の表示を調整する

ビューア上に表示された [開始] の枠内や、コーナー部分をドラッグして、クリップの開始時点に表示するエリアを調整します**1**。

> **Memo 移動とズーム**
>
> 枠の内側をドラッグすると、枠が移動します。また、コーナー部分をドラッグすると、エリアの大きさを変更できます。

2 終了時点の表示を調整する

[終了] 枠の枠上をクリックして、[終了] 枠をアクティブにします**1**。[終了] の枠内や、コーナー部分をドラッグして、クリップの開始時点に表示するエリアを調整します**2**。

> **Hint 開始と終了を入れ替える**
>
> 開始時点の表示エリアと終了時点の表示エリアを入れ替えるには、クリップコントロールの [⚡] をクリックします。

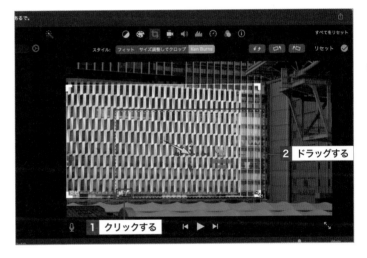

3 設定を適用する

クロップコントロールの [適用] をクリックします**1**。ビューア上で動きを確認します。

> **Hint Ken Burnsエフェクトを解除する**
>
> [リセット] をクリックするとKen Burnsエフェクトが解除されます。なお、スタイルの [フィット] をクリックしても同様です。

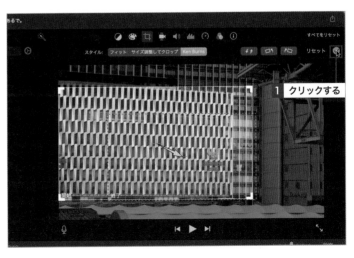

21 映像の切り替え効果を付ける ―トランジション―

覚えておきたいキーワード
トランジション
切り替え効果
クロスディゾルブ

iMovieでは、クリップとクリップのつなぎに様々な効果を与えるトランジションが数十種類用意されています。余韻を残しながら次のクリップに移りたい場合や、場面転換シーンなどで使うと効果的です。

1 トランジションを追加する

1 トランジションを表示する

ブラウザ上部の[トランジション]をクリックすると①、ブラウザにトランジションが一覧表示されます②。トランジション上でポインタを左右に動かすと、ビューアでトランジションの動きがプレビューできます。

2 トランジションを追加する

使用したいトランジションをタイムライン上のクリップとクリップの間にドラッグすると、トランジションが追加されます①。

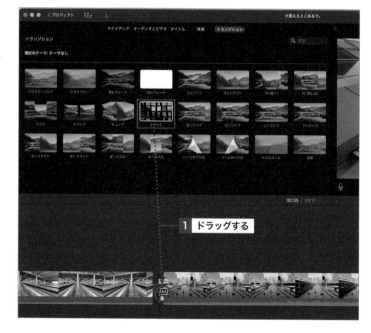

Memo トランジションを置き換える

すでにトランジションが設定されている場合、同様の操作で、適用したいトランジションをトランジションアイコンの上へドラッグすると置き換えられます。

2 トランジションの継続時間を変更する

1 トランジションアイコンを
ダブルクリックする

タイムライン上のトランジションアイコンをダブルクリックし、トランジションコントロールを表示します**1**。

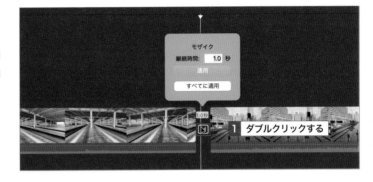

2 トランジションの継続時間を
変更する

[継続時間] フィールドの数字を変更すると、トランジションの継続時間を変更できます**1**。継続時間は、0.1秒単位で設定可能です。最後に [適用] をクリックします**2**。

Hint ほかのトランジションにも同じ設定を適用する

トランジションアイコンをダブルクリックして、[すべてに適用]をクリックすると、そのトランジションの設定がほかのトランジションにも適用されます。適用されるのは、はじめにダブルクリックしたトランジションの「タイプ」と「継続時間」です。

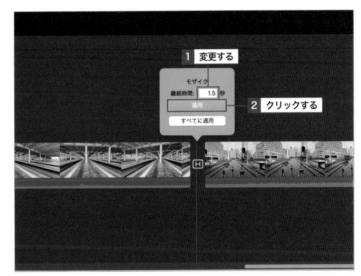

Step up すべてのクリップ間にトランジションを設定したい

すべてのクリップにトランジションを追加するには、[command] + [a] キーを押してタイムライン上のクリップをすべて選択した後、[編集]→[クロスディゾルブを追加]の順にクリックします。トランジションの種類は[クロスディゾルブ]なので、必要に応じて修正します。

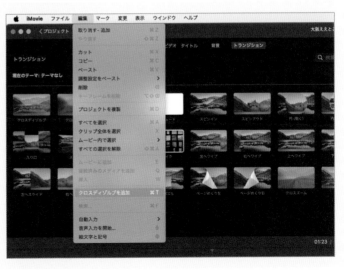

22 トランジションを複製／削除する

覚えておきたいキーワード
トランジション
複製
削除

iMovieでは、配置したトランジション効果を複製することで、効率的にムービーを作成することができます。また、不要になったトランジションを削除する方法についても解説します。

1 トランジションを複製する

1 トランジションを選択する

複製したいトランジションをクリックして選択します■。

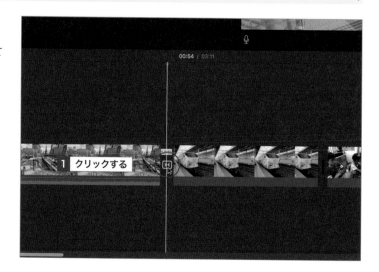

2 トランジションを複製する

option を押しながらドラッグすると、トランジションを複製できます■。

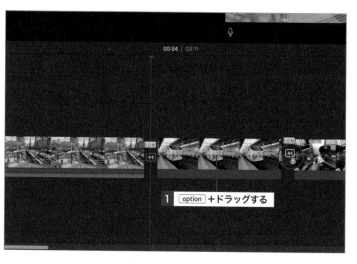

Hint トランジションを移動する

option を押さずにトランジションをドラッグすると、トランジションの配置を移動できます。

2 トランジションを削除する

1 トランジションを選択する

タイムライン上の削除したいトランジションアイコンをクリックします**1**。

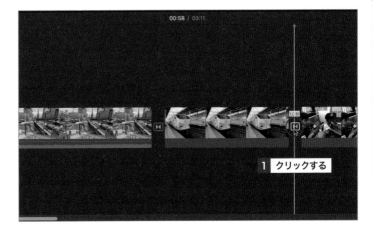

2 トランジションを削除する

delete を押すと、トランジションが削除されます**1**。

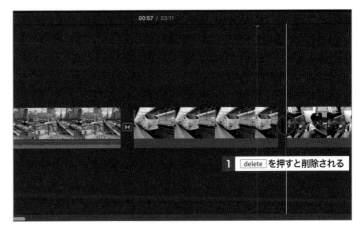

> **Memo** テーマが適用されている場合
>
> テーマが適用されている場合は、delete を押した後にメッセージが表示されます。[自動コンテンツをオフにする]をクリックすると、トランジションを削除できます。なお、以降はクリップの追加時に、自動的にトランジションが挿入されなくなります。

> **Step up** トランジションをまとめて削除する
>
> [編集]メニュー→[ムービー内で選択]→[トランジション]の順にクリックすると**1**、すべてのトランジションが選択されます。その状態でdelete を押すと、すべてのトランジションが削除されます。

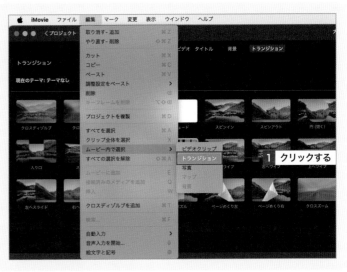

23 トランジションを編集する

覚えておきたいキーワード
- \# 詳細編集
- \# 編集点
- \# トランジション

設定したトランジションの継続時間やタイミングは、詳細編集を使って微調整できます。詳細編集では、視覚的にトランジションを調整できるほか、オーディオの再生位置を映像とは別のタイミングで設定することも可能です。

1 トランジションを視覚的に調整する

1 詳細編集を表示する

編集したいトランジションの隣にあるクリップの、端部をダブルクリックします **1**。

2 詳細編集が表示された

詳細編集が表示されました **1**。クリップ上で暗くなっている部分は、クリップの未使用部分です。また、上段が先行クリップ、下段が後続クリップです。

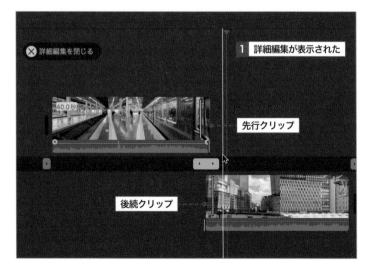

3 タイムラインの時間軸を拡大する

クリップ間に表示されているトランジションバーが小さくて操作しづらい場合は、タイムライン右上のスライダをドラッグして**1**、タイムラインの時間軸を拡大します。

Memo さらに作業をしやすくする

タイムラインの時間軸を拡大するほかに、スライダの右の[設定]をクリックしてクリップサイズを大きくすることで、作業がしやすくなります。

4 クリップの使用する範囲を変更する

ビデオクリップを左右にドラッグすると、そのクリップの使用する範囲を変更できます**1**。ムービー全体の継続時間にも影響します。

5 トランジションのタイミングを変更する

上段、下段のどちらかのクリップをドラッグし**1**、クリップの重複時間を延ばします。トランジションバーの中央部分を左右にドラッグすると、トランジションの継続時間を保ったまま、トランジションのタイミングだけを変更することができます。

6 トランジションの継続時間を変更する

トランジションバーの両端にあるハンドルをドラッグすると、トランジションの継続時間を変更できます**1**。

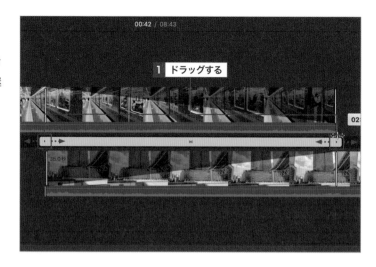

7 詳細編集を閉じる

［詳細編集を閉じる］をクリックすると、詳細編集が閉じます**1**。

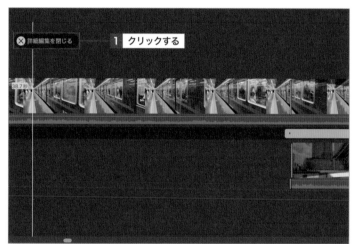

8 プレビューを確認する

プレビューして、変更箇所がどのように変わったかを確認しましょう。

2 オーディオの再生位置を調整する

1 クリップにオーディオ波形を表示する

詳細編集では、オーディオの再生位置を調整できます。まず、クリップにオーディオ波形が表示されていない場合は、[設定]をクリックし**1**、[波形を表示]をオンにして表示させます**2**。

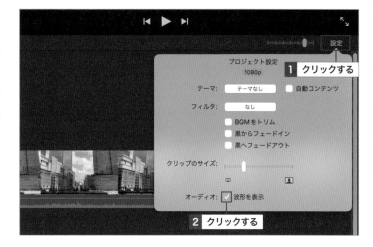

2 オーディオの再生位置を変更する

オーディオ波形上の編集線を左右にドラッグすると、オーディオの再生位置を変更できます**1**。オーディオは、ビデオクリップとは別のタイミングで再生位置を決めることができます。

Hint 続けて別のトランジションを編集する

続けて別のトランジションを詳細編集する場合は、編集点をクリックします**1**。編集点が切り替わったら、同様の操作で設定を変更します。

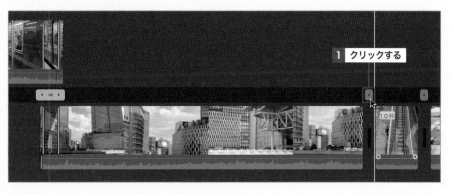

24 映像のカラーバランスを自動で補正する

覚えておきたいキーワード
ホワイトバランス
スキントーンバランス
マッチカラー

iMovieでは、クリップのカラーバランスを自動的に補正するツールがいくつか用意されています。目的に応じて使い分けて、見やすい色調に補正しましょう。

1 クリップの色調を自動で補正する

1 クリップを選択する

色調を補正したいクリップをクリックします**1**。

> 📝 **Memo** 補正対象のクリップ
>
> タイムライン上のものだけではなく、ブラウザ上のクリップも補正の対象となります。

2 クリップを自動補正する

ビューア上部の[自動補正]をクリックすると**1**、選択したクリップの色調が自動的に補正されます。自動補正を解除するには、再度、「自動補正」をクリックします。

> 📝 **Memo** オーディオも補正される
>
> 自動補正は、ビデオクリップのオーディオに対しても補正を行います。

2 ホワイトバランスを調整する

1 クリップを選択する

ホワイトバランスを調整したいクリップ
をクリックします**1**。

Key Word ホワイトバランス

照明や天候などの条件により、白いはずの
ものが青味がかったり赤味がかったりして
記録される場合があります。ホワイトバラ
ンスとは、本来白やグレーで映るべきもの
を指定することで、正しい色バランスに補
正する機能です。

2 [ホワイトバランス]を
クリックする

ビューア上部の[カラーバランス]をク
リックし**1**、[ホワイトバランス]をクリック
クします**2**。

3 ホワイトバランスを調整する

ビューアに表示されている中から基準と
なる色(白やグレー)をスポイトでクリッ
クすると、ホワイトバランスを調整でき
ます**1**。[適用]をクリックして適用しま
す**2**。

Hint 効果を無効にする

効果を無効にするには、■ をクリックし
て ■ にし、[適用]をクリックします。

3 スキントーンバランスを調整する

1 [スキントーンバランス]を クリックする

色調を調整したいクリップを選択し、ビューア上部の[カラーバランス]をクリックして**1**、[スキントーンバランス]をクリックします**2**。

> **Memo ホワイトバランスとの違い**
>
> ホワイトバランスは白やグレーを基準として色を補正するのに対し、スキントーンバランスは肌の色を基準とします。

2 スキントーンバランスを調整する

ビューア上で、基準としたい人物の肌の色をスポイトでクリックすると、スキントーンバランスを調整できます**1**。[適用]をクリックして適用します**2**。

4 ほかのビデオクリップと色調を合わせる ―マッチカラー―

1 [マッチカラー]をクリックする

色調を調整したいクリップを選択し、ビューア上部の[カラーバランス]をクリックして**1**、[マッチカラー]をクリックします**2**。

2 基準のフレームを探す

ブラウザやタイムラインのクリップ上で
ポインタを動かし、色調を合わせる基準
となるフレームをスキミングして探しま
す**1**。

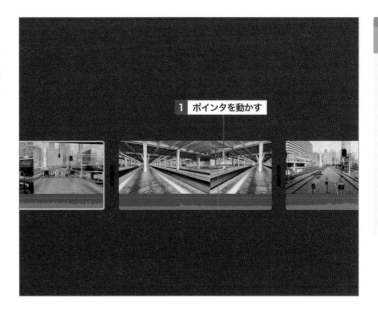

3 サンプルを取る

ビューアの左側にスキミング中のフレー
ムが表示されます**1**。色調を合わせたい
フレームでクリックし、サンプルを取りま
す**2**。

4 色調が補正された

ビューア右側のクリップの色調が、左側の
クリップに合うように調整されました**1**。
[適用]をクリックして適用します**2**。

25 映像のカラーバランスを手動で補正する

覚えておきたいキーワード
- \# 色補正
- \# マルチスライダ
- \# サチュレーション

自動のカラーバランス補正だけでは調整しきれないような補正は、手動で行うことができます。インターフェイスは直感的で、初心者でも調整しやすいものになっています。

1 明るさとコントラストを調整する

1 明るさを調整する

明るさを調整したいクリップを選択しておきます。ビューア上部の[色補正]をクリックします **1**。マルチスライダコントロールの ● / ● / ○ を左右にドラッグすることで、クリップの明るさを調整します **2**。

2 コントラストを調整する

マルチスライダコントロールの ● / ● を左右にドラッグすると、クリップのコントラストを調整できます **1**。

> **Hint　ほかのシーンの調整結果を確認する**
>
> 色補正を行っている途中に、クリップ上にカーソルを合わせてスキミングすることで、同一クリップのほかのシーンではどのように見えるかを確認することができます。

2 彩度と色温度を調整する

1 彩度を調整する

前ページ手順の画面で、サチュレーションスライダを左右にドラッグすると、クリップの色の鮮やかさを調整することができます**1**。

2 色温度を調整する

色温度スライダを左右にドラッグすると、クリップの色温度を調整することができます**1**。

Step up 彩度／色温度を使った表現

サチュレーションスライダを一番左側にすると、白黒になります。その後、色温度を調整すると、シアン調、セピア調のモノトーンを表現することができます。

Hint 補正を解除する

色補正を解除したい場合は、[リセット]をクリックします**1**。

26 映像に特殊効果を与える

覚えておきたいキーワード
ビデオエフェクト
反転
ネガティブ

ビデオエフェクトを使用すると、古い映画のように見せたり、色調を反転させるなど、クリップの見た目を簡単に変更できます。スローモーションやスプリットスクリーンなど、ほかのエフェクトと組み合わせるのも効果的です。

1 ビデオエフェクトを適用する

1 クリップを選択する

タイムライン上に配置した、ビデオエフェクトを適用したいクリップをクリックし①、ビューア上部の［ビデオ／オーディオエフェクト］をクリックします②。

2 ビデオエフェクトを選択する

［クリップフィルタ］のボタンをクリックし①、ポップアップ画面から適用したいビデオエフェクトをクリックすると②、エフェクトがすぐに反映されます。

 Hint　エフェクトをプレビューする

ビデオエフェクトの内容を適用前にプレビューするには、各エフェクトのサムネールにポインタを合わせます。

3 ビデオエフェクトを削除する

適用されたビデオエフェクトを削除するには、再度、手順 2 の画面を表示し、[なし]をクリックします 1 。

クリップフィルタを選択

クリックする

📝 Memo ビデオエフェクト一覧

なし	反転	白黒	ノアール	サイレント
コミック（基本）	コミック（クール）	コミック（インク	コミック（モノ）	コミック（ビンテージ）
迷彩	ヒートウェーブ	ブロックバスター	ビンテージ	ウェスタン
フィルムグレイン	古いフィルム	セピア	ビネット	ロマンチック
アニメ	青	ブラスト	ハードライト	ブリーチバイパス
グロー	古代	フラッシュバック	ドリーミー	ラスタ
昼から夜へ	X線	ネガティブ	SF	ダブルトーン

27 映像の手ぶれを補正する

覚えておきたいキーワード

\# 手ぶれ補正
\# 解析
\# 三脚

iMovie 上では撮影後の映像に手ぶれ補正を行うことができます。ただし、すべての手ぶれを解消できるわけではないので、三脚や一脚、スタビライザーを使用するなどして手ぶれを発生させない撮影を心がけましょう。

1 手ぶれを補正する

1 クリップを選択する

タイムライン上に配置した、手ぶれを補正したいクリップをクリックし**1**、ビューア上部の[手ぶれ補正]をクリックします**2**。

2 手ぶれ補正を適用する

[ビデオの手ぶれを補正]をクリックしてオンにすると、選択されたクリップの解析がはじまります**1**。

3 効果を調整する

[ビデオの手ぶれを補正] スライダをド
ラッグすると、手ぶれ補正の効果を調整
することができます**1**。効果を大きくす
ると、手ぶれは抑えられますが、映像の
映る範囲が狭くなります。

📝Memo 手ぶれ補正の注意点　その1

解析対象のクリップやお使いのMac
の性能、メモリの搭載量などによって
も異なりますが、手ぶれ補正の映像解
析には時間がかかります。いきなり長
時間の解析をせず、あらかじめ短時間
のクリップの解析を行い、どの程度の
時間がかかるかを把握しておきま
しょう。

📝Memo 手ぶれ補正の注意点　その2

手ぶれ補正の仕組みは、映像
を解析し、ぶれが発生した方
向とは逆方向に映像を移動
させることでぶれを軽減さ
せています。そのため、手ぶ
れ補正を適用すると、映像が
クロップされ、周囲が欠けて
しまいます。また、大きなぶ
れには効果はあまり見られ
ません。三脚や一脚、スタビ
ライザーを使用するなどし
て、なるべくぶれを起こさな
い撮影を心がけましょう。

28 映像のゆがみを補正する

覚えておきたいキーワード
ローリングシャッター
手ぶれ補正
解析

動きが速い被写体を撮影すると、被写体がゆがんで映ってしまうことがあります。このような現象をローリングシャッター現象といいます。iMovieでは、この現象を軽減するための機能が用意されています。

1 ローリングシャッター現象が起こる仕組み

最近のカメラのセンサーはCMOSセンサーが主流です。CMOSセンサーはセンサー上部から下部にかけて順番に被写体を記録していきます。動きが激しい被写体では、記録している途中で被写体の位置が上部と下部で異なり、それがゆがみとなって記録されます。

走る電車を CMOS センサーのカメラで撮影した場合のイメージ図

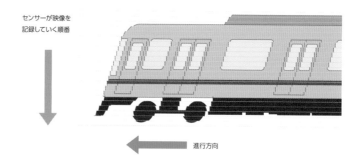

センサーが映像を
記録していく順番

進行方向

2 ローリングシャッターを補正する

1 クリップを選択する

タイムライン上の補正対象のクリップをクリックし**1**、ビューア上部の[手ぶれ補正]をクリックします**2**。

2 クリックする

1 クリックする

2 ローリングシャッター補正を適用する

[ローリングシャッターを補正]をクリックしてオンにすると、選択されたクリップの解析がはじまります**1**。

1 クリックする

3 再生して確認する

解析が終了したら、クリップを再生してビューアで確認します**1**。

1 確認する

4 効果を調整する

[ローリングシャッターを補正]ポップアップメニューで、補正の効果を調整することができます**1**。

1 適用度を調整できる

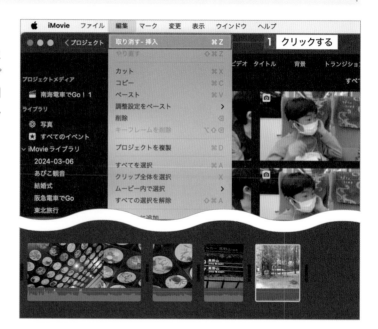

Section

29

編集操作を 取り消す／やり直す

覚えておきたいキーワード

\# 取り消す
\# やり直す
\# command + z

編集作業中に操作を誤った場合や、別の操作を行いたい場合には、操作を取り消すことができます。作業中にはよく使うことになるので、ショートカットキーも合わせて覚えておくとよいでしょう。

1 編集操作を取り消す

1 [取り消す]をクリックする

直前に行った操作を取り消します。ここでは例として、タイムラインにクリップを追加した動作を取り消します。[編集]メニュー→[取り消す]の順にクリックします**1**。

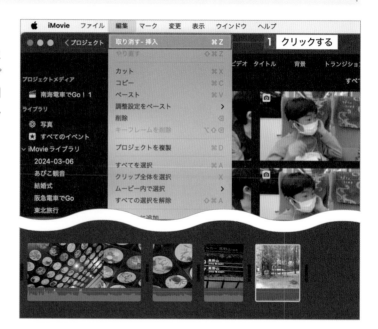

2 取り消しを確認する

クリップの追加が取り消されたのが確認できました**1**。

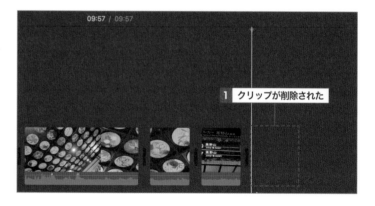

74

2 編集操作をやり直す

1 [やり直す]をクリックする

いったん取り消した操作を元に戻します。
[編集]メニュー→[やり直す]の順にクリックします **1**。

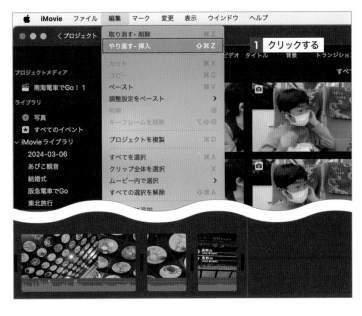

2 やり直しを確認する

ブラウザにクリップが追加されたのが確認できます **1**。

Step up ショートカットキーを活用する

操作の取り消しは、繰り返し行うことで、複数回にわたって操作をさかのぼることができます。毎回メニューから選択すると効率が悪いので、ショートカットキーを覚えてくと便利です。

- 取り消す：[command] + [Z]
- やり直す：[command] + [shift] + [Z]

30 縦動画を編集する

覚えておきたいキーワード
背景
縦型動画クリップ
カーテン

iMovieでは編集した動画を縦型に出力することができないため、縦型動画を素材とする場合は工夫が必要です。ここでは、縦型動画クリップを配置した際に生じる余白を背景クリップを用いて埋める方法について解説します。

1 背景を作成する

1 背景に切り替える

ツールバーの［背景］をクリックします**1**。

2 背景クリップを配置する

背景クリップの中から動画の背景にしたいクリップを選択し、タイムラインに配置します。ここでは例として［にじみ］を配置します。

Memo 背景が動いている？

［カーテン］［オーガニック］［にじみ］［水中］は静止画ではなく、背景がアニメーションします。それ以外の素材は静止画扱いとなります。

2 動画を重ねる

1 縦型動画クリップを配置する

[マイメディア]をクリックし**1**、縦型動画クリップをタイムラインの背景クリップの上部に、左端を合わせて配置します**2**。

2 縦型動画クリップの長さを調整する

背景クリップまたは配置した縦型動画の端をドラッグし**1**、クリップの長さを調整します。

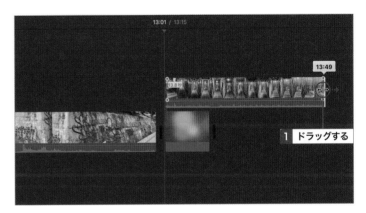

3 縦動画の余白が埋まった

縦動画の余白が背景素材で埋まります。

第3章 ： ムービーを編集しよう

31 映画予告編を作成する

iMovieには、あらかじめ用意されたテンプレートを使って、まるでハリウッド映画の予告編のようなムービーを作る機能があります。手軽に作れる「予告編」機能で、映画監督になったような気分を味わえます。

1 新規予告編を作成する

1 予告編を作成する

プロジェクトを開いている場合は画面左上の ❮ プロジェクト をクリックします。[新規作成]をクリックし**1**、[予告編]をクリックします**2**。

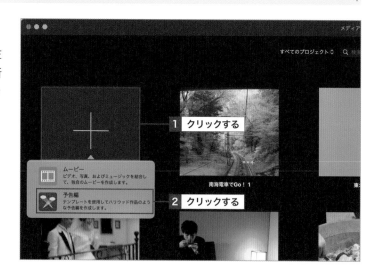

2 テンプレートを選択する

あらかじめ用意された29種類の予告編テンプレートの中から、使用したいテンプレートをクリックし**1**、[作成]をクリックします**2**。

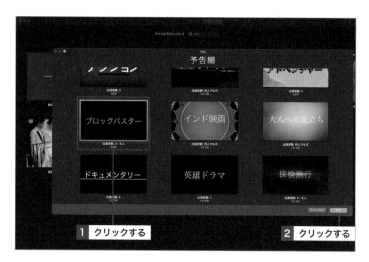

☀ Hint テンプレートを確認する

各テンプレートのサムネールにポインタを合わせ、中央のボタンをクリックすると、それぞれのテンプレートを用いたサンプル予告編が再生されます。

2 タイトルやクレジットを入力する

1 タイトルやクレジットを入力する

[アウトライン] タブのムービー名やスタジオ名、クレジットなどの各テキストを入力し、性別やロゴスタイルなどはクリックして最適なものを選択します■。

> **Memo** アウトラインは予告編ごとに違う
>
> アウトラインに表示されている項目は、予告編ごとに異なります。

2 プレビューを確認する

各カテゴリにポインタを合わせると■、プレビューが表示されるので確認します❷。

3 タイトルやクレジットを入力する

1 絵コンテに切り替える

[絵コンテ] タブをクリックしてパネルを切り替えます■。字幕(プレースホルダテキスト)とイラストイメージ(プレースホルダウェル)が表示されます。プレースホルダウェルのイラストイメージに沿ってクリップを選択すると、予告編の完成度が高まります。

2 クリップを追加する

プレースホルダウェルをクリックし**1**、ブラウザから使用するビデオクリップ、または写真をクリックして指定します**2**。

☀ Hint 写真を使用する場合

写真を使用する場合は、Ken Burnsエフェクトが自動的に適用されます。任意で動きを調整してください。Ken Burnsエフェクトについては P.52を参照してください。

3 動きを確認する

追加したクリップがどのように反映されたかを確認します。確認したいプレースホルダウェルをクリックし**1**、□を押します**2**。

4 クリップの配置を完了する

手順**2**の方法で、すべてのプレースホルダウェルにクリップを追加して、配置を完了させます**1**。

☀ Hint クリップを変更／削除する

置き換えたいプレースホルダウェルをクリックし、ブラウザでクリップをクリックすると、クリップを変更できます。また、プレースホルダウェルを選択した状態で delete を押すと、クリップを削除できます。

5 字幕を入力する

予告編で表示される字幕を編集します。
プレースホルダテキストをクリックし**1**、
新しいテキストを入力して、[return]を押
して確定します**2**。

6 再生して確認する

[表示]メニュー→[先頭から再生]の順に
クリックして**1**、先頭から再生して内容
を確認します**2**。

Step up 作成した予告編をiMovie以外で見たい

iMovieを使わずに予告編を閲覧するには、
作成した予告編を共有するか、ムービー
ファイルにする必要があります。詳しくは
P.138～P.143を参照してください。

7 プロジェクトを保存する

画面左上の [< プロジェクト] をクリックします
1。プロジェクトの名前を入力し**2**、[OK]
をクリックして保存します**3**。

32 クリップの調整設定を 別のクリップにコピーする

覚えておきたいキーワード

\# 調整設定
\# コピー
\# ペースト

クリップに対して加えたカラー補正や音量の設定などは、それらの設定情報だけをほかのクリップに対して貼り付けることで、同じ効果を与えることができます。クリップ間で明るさを合わせたい場合などに便利です。

1 調整設定をペーストする

1 クリップの調整設定をコピーする

明るさや音量など、調整設定を持つクリップをタイムライン上でクリックし**1**、[編集]メニュー→[コピー]の順にクリックしてコピーします**2**。

> **Hint** カットアウェイの設定もコピーできる
>
> カットアウェイ（P.84 参照）などのクリップの調整設定をコピーすることもできます。

2 調整設定をペーストする

調整設定を持たせたいクリップをクリックし**1**、[編集]メニュー→[調整設定をペースト]の順にクリックし、ペーストしたい調整設定の内容を選択します**2**。

第 **4** 章

便利な編集テクニックを
知ろう

33 映像を部分的に置き換える ―カットアウェイ―

覚えておきたいキーワード
カットアウェイ
不透明度
フェード

カットアウェイとは、ベースとなるクリップを再生中に別のクリップを重ねることで一時的にクリップを切り替える手法です。クリップの挿入とは異なり、ベースとなるクリップを分割しないため、クリップの位置を柔軟に調整できます。

1 カットアウェイクリップを追加する

1 クリップを選択する

イベントをブラウザに表示し、カットアウェイとして使用するクリップを選択します**1**。

2 カットアウェイで配置する

選択したクリップを、タイムライン上の、ベースとなるクリップの上の余白部分にドラッグします**1**。

3 カットアウェイクリップが配置された

カットアウェイクリップが配置されました**1**。クリップ上でポインタを動かしてスキミングすると、ビューアで効果を確認できます**2**。

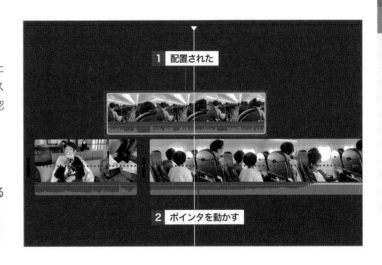

Hint　カットアウェイクリップを削除する

タイムライン上のカットアウェイクリップをクリックし、[delete]を押すと削除できます。

2 カットアウェイクリップの位置と継続時間を調整する

1 位置を調整する

タイムライン上のカットアウェイクリップをドラッグすると、位置を調整することができます**1**。

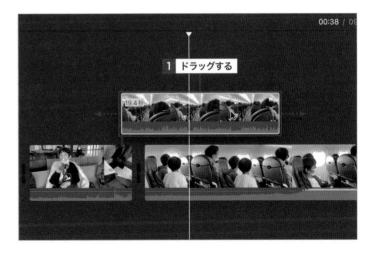

Memo　クリップをまたいでも大丈夫?

カットアウェイクリップは、ベースとなるクリップとほかのクリップをまたいで配置しても問題ありません。

2 継続時間を調整する

タイムライン上のカットアウェイクリップの端部を左右にドラッグすると、継続時間を調整することができます**1**。

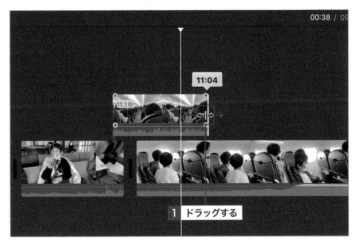

3 不透明度を設定する

1 コントロールを表示する

タイムライン上のカットアウェイクリップをクリックし■、ビューア上部の［ビデオオーバーレイ設定］をクリックすると■、カットアウェイコントロールが表示されます。

2 不透明度を下げる

［不透明度］スライダを左右にドラッグし、カットアウェイクリップの不透明度を調整します■。［適用］をクリックし■、プレビューして確認します。

4 フェードを設定する

1 コントロールを表示する

タイムライン上のカットアウェイクリップをクリックし■、ビューア上部の［ビデオオーバーレイ設定］をクリックすると■、カットアウェイコントロールが表示されます。

2 フェードを設定する

[フェード] スライダを左右にドラッグし、
カットアウェイクリップが徐々にフェード
イン／アウトする継続時間を設定します
1。

3 タイムライン上で
フェードを設定する

タイムライン上でカットアウェイクリップ
の上部フェードハンドルを内側にドラッ
グすることでも、フェードを調整するこ
とができます**1**。

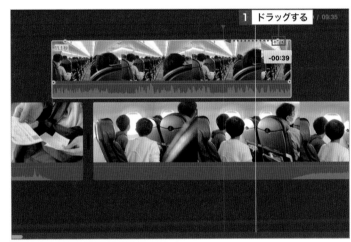

Step up ほかのクリップの音量を下げる

カットアウェイクリップを追加すると、ベース
となるクリップのオーディオが重なって聞こえ
てしまいます。カットアウェイクリップ再生中
は、ベースのクリップの音量を下げておきま
しょう。方法についてはP.127を参照してくだ
さい。

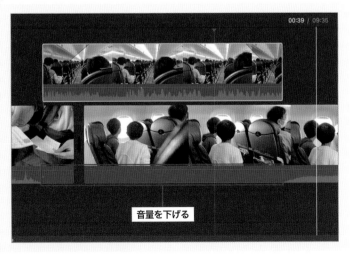

34 映像内に小さな映像を表示する —ピクチャ・イン・ピクチャ—

覚えておきたいキーワード
ピクチャ・イン・ピクチャ
トランジション
境界線

ピクチャ・イン・ピクチャとは、ベースとなるクリップの一部分に別のクリップを表示する手法です。子どもの舞台発表のムービーに、舞台を見つめる母親の表情を表示する、といった使い方ができます。

1 ピクチャ・イン・ピクチャ・クリップを追加する

1 クリップを選択する

イベントをブラウザに表示し、ピクチャ・イン・ピクチャとして使用するクリップを選択します**1**。

2 カットアウェイで配置する

選択したクリップを、タイムライン上の、ベースとなるクリップの上の余白部分にドラッグします**1**。タイムライン上にクリップがカットアウェイクリップとして追加されます。

3 ピクチャ・イン・ピクチャを適用する

ビューア上部の[ビデオオーバーレイ設定]をクリックします**1**。コントロール内のポップアップメニューから[ピクチャ・イン・ピクチャ]をクリックします**2**。

4 ピクチャ・イン・ピクチャ・クリップが追加された

ピクチャ・イン・ピクチャ・クリップがベースのクリップ上に配置されました**1**。ビューアでプレビューして確認します。

2 ピクチャ・イン・ピクチャ・クリップの大きさと位置を調整する

1 大きさを調整する

ビューア上のピクチャ・イン・ピクチャ・クリップのコーナー部分をドラッグし、どれくらいの大きさで表示するかを決定します**1**。

2 位置を調整する

ビューア上のピクチャ・イン・ピクチャ・クリップの枠内をドラッグし、位置を調整します**1**。

3 トランジションのスタイルを設定する

1 トランジションを設定する

ピクチャ・イン・ピクチャが表示される際のトランジションのスタイルを設定します。コントロール内の[トランジションスタイル]ポップアップメニューから、エフェクトをクリックします**1**。

> **Memo トランジションスタイル**
>
> ・ディゾルブ：透明から徐々に表示されます
> ・ズーム：徐々に拡大して表示し、徐々に縮小して非表示になります
> ・入れ替える：ベースのクリップとピクチャ・イン・ピクチャ・クリップを入れ替えます

2 継続時間を入力する

[トランジションの継続時間]フィールドに、トランジションの継続時間を0.1秒単位で入力します**1**。

4 境界線のスタイルを設定する

1 境界線を設定する

コントロール内の[境界線]から[枠線なし]／[細い枠線]／[太い枠線]のいずれかをクリックします❶。

2 境界線の色を設定する

カラーウェルをクリックします❶。カラーウインドウが開くので、境界線の色を設定します❷。コントロールの右側にある[適用]をクリックし、ビューアでプレビューして確認します❸。

5 ピクチャ・イン・ピクチャに影を付ける

1 シャドウを設定する

コントロール内の[シャドウ]をクリックしてオンにすると❶、ピクチャ・イン・ピクチャに影が付きます❷。

91

35 画面を分割して2画面再生する —スプリットスクリーン—

覚えておきたいキーワード
\# スプリットスクリーン
\# スライド
\# 分割方向

スプリットスクリーンを使うと、画面を分割して2つの映像を同時に見せることができます。スポーツで対戦している選手の表情を対比させたり、同じイベントを異なる視点で撮影した映像を並べたりすると効果的です。

1 スプリットスクリーンクリップを追加する

1 カットアウェイで配置する

イベントをブラウザに表示し、スプリットスクリーンとして使用するクリップを選択して**1**、タイムライン上の、ベースとなるクリップの上の余白部分にドラッグします**2**。タイムライン上にクリップがカットアウェイクリップとして追加されます。

2 スプリットスクリーンを適用する

ビューア上部の[ビデオオーバーレイ設定]をクリックし**1**、コントロールを表示します。ポップアップメニューから[スプリットスクリーン]をクリックします**2**。

2 スプリットスクリーンクリップを調整する

1 分割方向を入れ替える

コントロール内の［位置］ポップアップメニューから［左］［右］［上］［下］のいずれかをクリックし、クリップの表示位置を変更します**1**。

2 トランジションを設定する

［スライド］スライダを右側にドラッグすることで、画面外からスプリットスクリーンクリップがスライドしてくるアニメーションの継続時間を設定できます**1**。スライドの継続時間を［0］にすると、トランジションがオフになります。

3 動きを確認する

スプリットスクリーンクリップにトランジションが適用されました。⑦を押して動きを確認します**1**。

Section ◄ ►

36 映像の再生速度をコントロールする ―スローモーション／早戻し―

覚えておきたいキーワード
スローモーション
早送り
早戻し

スポーツなどの動きの激しい映像では、クリップの速度を変更する表現が効果的です。iMovieでは、スローモーションや早送り、または早戻し表現をすることが可能です。

1 スローモーション／早送りにする

1 クリップをスローモーション／早送りにする

タイムライン上の対象となるクリップをクリック後、[変更] メニュー→[スローモーション]（または [早送り]）の順にクリックし、速度を指定します**1**。

Memo クリップの一部だけに適用する

クリップを r を押しながらドラッグすると、一部だけを選択できます。その状態で速度を変更すると、選択部分だけの速度が変更されます。

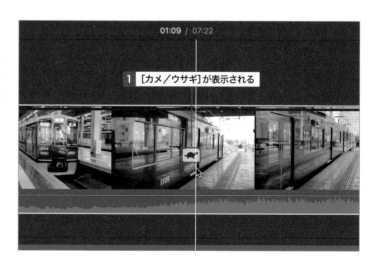

2 速度が変更された

スローモーションを適用すると、タイムライン上のクリップの長さが変化します。速度が変更されたクリップには [カメまたはウサギ] が表示されます**1**。

Hint 音をそのままの高さにしたい

ムービー速度を変更すると、オーディオの音の高さ（ピッチ）も合わせて変化してしまいます。元の音の高さを保つには、対象となるクリップを選択し、速度コントロール（P.95 の Hint 参照）の [ピッチを保持] をオンにします。

1 [カメ／ウサギ] が表示される

01:09 / 07:22

2 早戻し再生にする

1 クリップを早戻しにする

タイムライン上の対象となるクリップを
クリック後、［変更］メニュー→［早戻し］
順にクリックし、早戻し再生の速度を指
定します**1**。

1 クリックする

2 早戻しの範囲を指定する

クリップが3つのセグメントに分割されま
す。中央のスライダ部分が、早戻し再生
する範囲です。速度スライダをドラッグ
すると手動で速度を変更でき**1**、フレー
ムアイコンをドラッグすると各セグメン
トで使う映像の範囲を変更できます**2**。

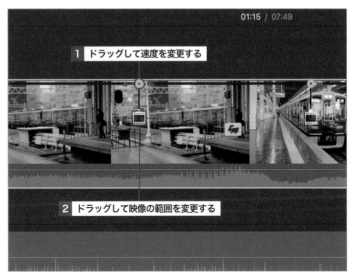

01:15 / 07:49

1 ドラッグして速度を変更する

2 ドラッグして映像の範囲を変更する

Memo 速度をリセットする

速度をリセットするには、対象となるク
リップをクリックして選択し、［変更］メ
ニュー→［速度をリセット］の順にクリック
します。

Hint 速度コントロールを活用する

速度変更したクリップに表示される
［カメ／ウサギ］のアイコンをクリック
すると、ビューア上に速度コントロー
ルが表示されます。速度コントロール
では、速度の再変更や逆再生の設定、映
像の切り替わりを滑らかにするスムー
ズ機能などを利用できます。スムーズ
機能は、早戻し再生のような1つのク
リップ内で速度が変わるクリップの場
合に使用可能です。

速度：カスタム 435 % ☑スムーズ ☑逆再生 ☑ピッチを保持 リセット

すべてをリセット

37
リプレイ映像を作成する
―インスタントリプレイ―

覚えておきたいキーワード

\# 決定的瞬間
\# インスタントリプレイ
\# スロー再生

スポーツの得点シーンやハプニング映像などで、決定的瞬間をスロー再生してみせる演出手法があります。iMovieを使えば、手間をかけずにリプレイシーンを作成することができます。

---

1 インスタントリプレイを追加する

1 リプレイしたい部分を選択する

タイムラインのクリップ上で、リプレイしたい部分を r を押しながらドラッグして範囲を選択します**1**。

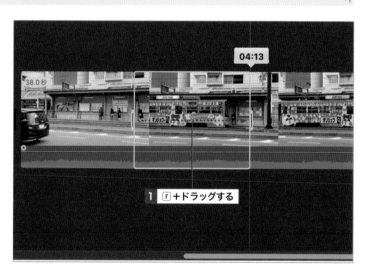

1 r ＋ドラッグする

> **Hint クリップ全体に適用したい**
>
> クリップ全体にインスタントリプレイを適用するには、タイムライン上でクリップをクリックして全体を選択した後、手順**2**以降の操作を行います。

2 インスタントリプレイを追加する

[変更]メニュー→[インスタントリプレイ]の順にクリックし、リプレイする際のムービーの速度をクリックします**1**。

1 クリックする

> **Memo インスタントリプレイの速度について**
>
> 元の速度は100%で、それを基準にした速度です。50%は、元の半分の速度になります。

3 インスタントリプレイが追加された

クリップが3つのセグメントに分割され、中央にインスタントリプレイが追加されます**1**。追加された部分には自動的に［インスタントリプレイ］というタイトルが付加されます**2**。

Hint タイトルを変更する

ビューア上のタイトルをダブルクリックすると、タイトルを変更できます。

1 タイトルが付加される

2 追加された

2 インスタントリプレイを調整する

1 継続時間を調整する

クリップ上のフレームアイコンを左右にドラッグすると、再生速度は変えずに、継続時間を延長／縮小することができます**1**。

Hint アイコンが表示されない

インスタントリプレイが短すぎる場合は、フレームアイコンが表示されない場合があります。その場合は、タイムラインの右上にあるスライダを右にドラッグし、クリップを拡大すると表示される場合があります。

8.8秒 – インスタントリプレイ

44.9秒

1 ドラッグする

2 速度を調整する

インスタントリプレイの［カメ］をクリックすると**1**、速度コントロールが表示され、リプレイする際の速度を変更できます（P.95のHint参照）。うまく速度コントロールが表示されない場合は、ビューア上部の［速度］をクリックしましょう**2**。

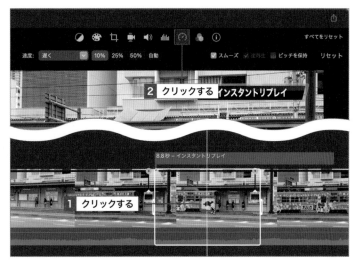

2 クリックする インスタントリプレイ

8.8秒 – インスタントリプレイ

1 クリックする

38 静止した映像を作成する ―フリーズフレーム―

覚えておきたいキーワード

\# フリーズフレーム
\# フラッシュ
\# シャッター音

ムービーの印象深い場面で動きを止めること（フリーズフレーム）で、より印象的に見せることができます。また、iMovieにはこの機能とは別に、自動でエフェクトを追加して演出効果を与える機能も備わっています。

1 フリーズフレームを追加する

1 フリーズフレームを追加する

タイムライン上で静止フレームを追加したい部分をクリックして再生ヘッドを移動します**1**。[変更]メニュー→[フリーズフレームを追加]の順にクリックします**2**。

2 フリーズフレームが追加された

クリップに静止した映像が追加されました**1**。

Step up フリーズフレームを削除する

[速度]コントロールのポップアップメニューから[標準]を選択するか[リセット]をクリックすると、フリーズフレームを削除することができます。

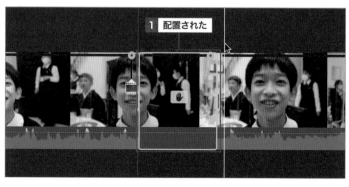

3 フリーズフレームの長さを 調整する

フリーズフレームの手のアイコンをクリックし**1**、速度コントロールの[継続時間]の数値を変更すると**2**、静止時間を0.1秒単位で調整することができます。

2 変更する

1 クリックする

Step up 静止前後の映像を滑らかにする

速度コントロールの[スムーズ]にチェックを入れると、静止前後の映像が滑らかに変化します。

---

2 フラッシュ効果付きのフリーズフレームを追加する

1 効果付きのフリーズフレームを 追加する

タイムライン上で、エフェクトを追加したい部分をクリックして**1**、再生ヘッドを移動します。[変更]メニュー→[フラッシュしてフレームをフリーズ]の順にクリックします**2**。

2 クリックする

1 クリックする

Step up サウンドエフェクトでさらに効果アップ

オーディオエフェクトの[サウンドエフェクト]→[効果音]の中にある[Camera Shutter]という効果音を使えば、画面が白くなると同時にシャッター音が鳴る演出ができます(P.122参照)。

2 効果付きのフリーズフレームが 追加された

タイムライン上の対象クリップが分割され、[白にフェード]トランジションとKen Burnsエフェクトが適用された静止画が配置されます**1**。

1 配置された

Section

39

映像を拡大して表示する
―クロップ―

覚えておきたいキーワード
クロップ
トリミング
回転

クロップの機能を使えば、ムービー内の特定部分をクローズアップで表示したり、不要な部分や見せたくない部分をトリミングできます。また、縦位置で撮影された映像を回転させて、正常な位置に戻すことも可能です。

1 クリップをトリミングする

1 [クロップ]をクリックする

タイムライン上で、トリミングしたいクリップをクリックし、ビューア上部の[クロップ]をクリックします１。クロップコントロールが表示されます。

2 [サイズ調整してクロップ]をクリックする

[サイズ調整してクロップ]をクリックすると、ビューア上に枠が表示されます１。コーナー部分や枠内をドラッグしてトリミングするエリアを決定します２。

3 クロップを適用する

クロップコントロールの右側の[適用]を
クリックし、クロップを適用します**1**。解
除する場合は、[リセット]をクリックし
てください。

📋 Memo　全ての設定を解除する

> クリップに適用した設定は、いつでもリ
> セットすることができます。ビューア上部
> の[すべてをリセット]をクリックすること
> ですべての設定を解除可能です。

4 クロップが適用された

クロップが適用され、指定した範囲が拡
大表示されました。

📋 Memo　クリップの一部に適用する

> クロップはクリップ全体に対して適用され
> るため、クリップの一部のみクロップした
> い場合は、あらかじめクリップを分割して
> おく必要があります。

☀ Hint　クリップを回転する

手順**2**の画面で、[時計回りに回転]／[反時計回りに
回転]をクリックします**1**。適宜、クロップ位置を変
更し、クロップコントロールの右側の[適用]をク
リックすると回転が適用されます**2**。

40

背景を切り抜いて合成する
―グリーン／ブルースクリーン―

覚えておきたいキーワード
グリーン／ブルースクリーン
合成
トリミング

iMovieでは、ベースとなるビデオクリップに、背景色が青色または緑色の
クリップを重ね、緑／青の部分を透明にして合成することができます。ビデ
オクリップだけではなく、写真を使用して合成することもできます。

1 グリーン／ブルースクリーンで合成する

1 カットアウェイで配置する

イベントをブラウザに表示し、グリーン
／ブルースクリーンとして使用するク
リップを選択して **1**、タイムライン上の、
ベースとなるクリップの上の余白部分に
ドラッグします **2**。クリップがカットア
ウェイクリップとして追加されます。

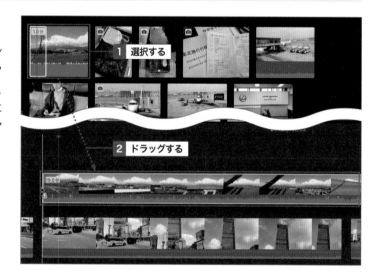

2 グリーン／ブルースクリーンを
適用する

ビューア上部の［ビデオオーバーレイ設
定］をクリックし **1**、コントロールを表示
します。ポップアップメニューから［グ
リーン／ブルースクリーン］をクリックす
ると、緑または青の部分が透明になりま
す **2**。

2 グリーン／ブルースクリーンを調整する

1 合成具合を調整する

コントロール内の［柔らかさ］スライダを
左右にドラッグし、合成されたクリップ
の境界を調整します**1**。左側にドラッグ
すると境界がはっきりし、右側にドラッ
グすると、境界があいまいになります。

2 不要部分をトリミングする

［クリーンアップ］の［クロップ］をクリッ
クすると、ビューア上に合成されたクリッ
プの枠が表示されます**1**。コーナー部分
をドラッグすると、クリップ枠の大きさを
変更できるので、不要な部分をトリミン
グします**2**。

3 合成を微調整する

合成後も、うまく消去されないグリーン
／ブルー部分が背景に残っている場合は、
［クリーンアップ］の［消去］をクリックし
て**1**、その部分をドラッグします。

41 グリーン／ブルースクリーン素材をKeynoteで作成する

覚えておきたいキーワード

\# Keynote
\# 背景を削除
\# アニメーション

グリーン／ブルースクリーンは、簡単に合成ができる便利な機能ですが、背景素材を準備するのは大変です。そこで、Apple の純正アプリケーション「Keynote」を使って簡単に背景素材を作る方法について解説します。

1 Keynoteに画像素材を読み込む

1 Keynoteを起動する

アプリケーションのKeynoteを起動し、[ファイル]メニュー→[新規]の順にクリックします。テーマの中から[ホワイト]をクリックし**1**、[選択]をクリックします**2**。

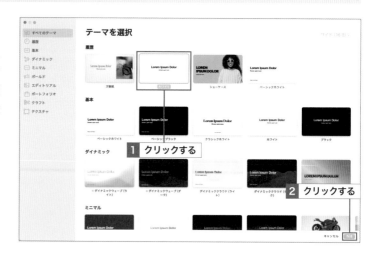

2 編集エリアを削除する

[command]＋[a]を押して画面全体を選択し、[delete]を押して全体を削除します**1**。

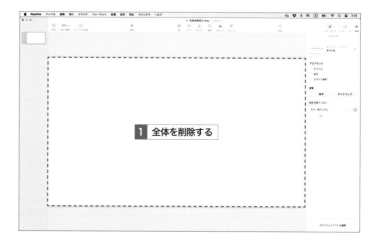

3 背景色を緑色にする

右側の［フォーマット］インスペクタの［現在の塗りつぶし］からカラーウェルをクリックし**1**、緑色を選択します**2**。

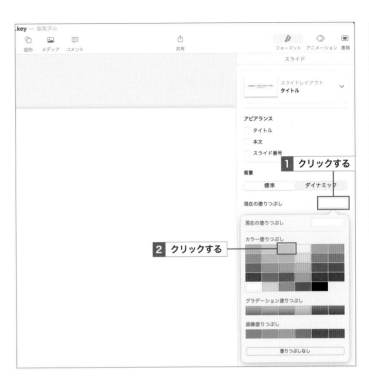

Hint パレット以外の色を選択する

背景の下の方にある、カラーホイールアイコンをクリックすると、カラー選択パネルが表示されるので、好きな色を選択し、パネルを閉じます。

4 ［選択］をクリックする

［挿入］メニュー→［選択］の順にクリックします**1**。

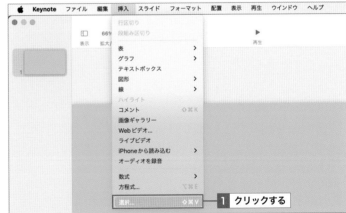

5 画像を挿入する

素材となる画像を選択して**1**、［挿入］をクリックします**2**。

Memo 素材となる画像について

素材となる画像は、なるべく背景がシンプルになるように撮影しておくと作業が楽になります。

1 [背景を削除]をクリックする

[フォーマット]インスペクタの[画像]タ
ブをクリックし**1**、[背景を削除]をクリッ
クします**2**。

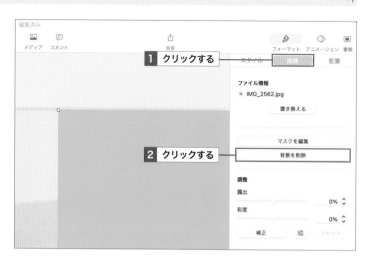

> **Memo** [画像]タブが表示されていない場合
>
> 読み込んだ画像をクリックすると、[画像]
> タブが表示されます。

2 背景を塗りつぶす

配置した画像の背景部分をドラッグする
と、その距離に応じて近似色が塗りつぶ
されます**1**。この作業を何度か繰り返し
ます。

3 [終了]をクリックする

背景全体が塗りつぶして透明にできたら、
[終了]をクリックします**1**。

3 アニメーションを追加する

1 出現するときの動きを付ける

[アニメーション]をクリックし**1**、[イン]
タブ内の[エフェクトを追加]をクリック
します**2**。

Hint 消えるときの動きを付ける

対象が消えるときの動きを付ける場合は、
[アウト]をクリックして、[エフェクトを追
加]をクリックします。

2 アニメーションを指定する

[エフェクト]ポップアップメニューから
追加したいアニメーションをクリックしま
す**1**。ここでは例として[アンビル]を選
択します。

Hint アニメーションをプレビューする

アニメーションの動きを確認したい場合は、
各エフェクトにポインタを合わせ、右側に出
てくる[プレビュー]をクリックします。

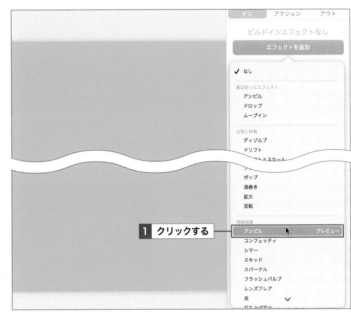

3 効果を調整する

アニメーションが追加できたら、アニメー
ションの継続時間や効果を設定します**1**。
なお、設定できる内容はアニメーション
によって異なります。

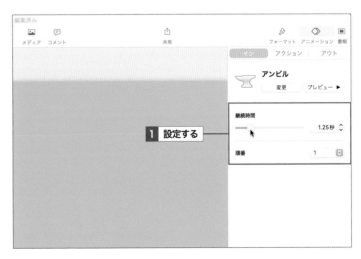

4 ムービーとして書き出す

1 ［ムービー］をクリックする

［ファイル］メニュー→［書き出す］→［ムービー］の順にクリックします**1**。

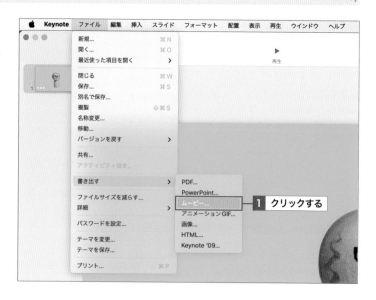

2 書き出し設定をする

［再生］や［解像度］など目的に合わせて設定し**1**、［保存］をクリックします**2**。

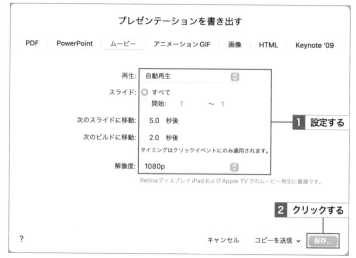

3 ムービーとして書き出す

ファイル名を変更し**1**、ムービーの保存場所を指定します**2**。［書き出す］をクリックすると、書き出しがはじまります**3**。

5 iMovieで合成する

1 iMovieに読み込む

保存したファイルをP.28の方法でiMovie
に読み込み、タイムライン上にカットア
ウェイで配置します**1**。ビューア上部の
[ビデオオーバーレイ設定]をクリックし
ます**2**。

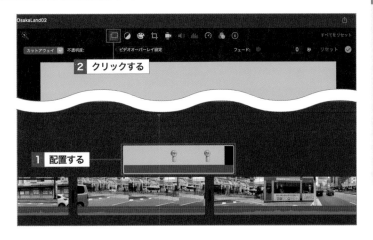

2 グリーン／ブルースクリーンを適用する

P.102の方法で[グリーン／ブルースク
リーン]を適用します**1**。クリップの継続
時間やタイムライン上の位置などを調整
すれば完成です。

Hint **Keynoteを使ったテキストアニメーション**

Keynote上でテキストを入力し、アニメーショ
ンさせたものを素材として使うと、そのままタ
イトルとして使用することも可能です。iMovie
のタイトル機能は自由度があまり高くなく、使
いたいフォントが選べなかったり、自由に配置
ができなかったりします。そういう場合には
Keynoteを使ったタイトルムービーを使うの
もひとつの方法です。

42

透明にした画像を映像に合成する　─透過PNG─

覚えておきたいキーワード
透過PNG 画像
プレビュー
インスタントアルファ

グリーン／ブルースクリーン以外にも、透明情報を持つPNG画像を合成に利用することができます。細かな文字や、複雑な形状のものを合成する場合は、透過情報を持ったPNG画像を利用する方がきれいに合成できます。

1 透過PNG画像を作成して合成する

1 画像をプレビューで開く

イラストやロゴマークなど、ムービーに合成したい画像を準備します。ファインダーの画面で[control]を押しながらクリックし1、[このアプリケーションで開く]→[プレビュー]をクリックします2。

2 背景を選択する

プレビューが開いたら、ツールバーの[マークアップツールバーを表示]をクリックします1。[インスタントアルファ]をクリックし2、背景の一部をドラッグします3。

📝Memo うまく選択できないときは

選択ツールの中の[スマート投げ縄]をクリックし、切り抜きたい対象をドラッグして囲むと、囲んだ部分の輪郭を自動で検出して選択範囲を作ります。

3 背景を削除する

背景を選択できたら、delete を押します
1。画像がPNG形式でない場合は、確認
メッセージが表示されるので、[変換] を
クリックします。

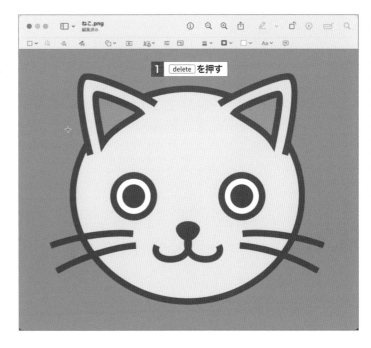

1 delete を押す

4 透過PNG画像を書き出す

[ファイル] メニュー→[書き出す] の順に
クリックします。ファイル名と保存先を
指定します**1**。フォーマットが[PNG]、[ア
ルファ] がオンになっていることを確認し
2、[保存] をクリックします**3**。

1 指定する
2 確認する
3 クリックする

5 iMovieで合成する

P.28の方法でiMovieにファイルを読み込
み、タイムライン上にピクチャ・イン・
ピクチャで配置すると**1**、合成されます
2。キーフレームやKen Burnsエフェク
トを使うと、画面内を移動したり、拡大
縮小のアニメーションを追加したりでき
ます（P.52、P.114参照）。

1 配置する
2 合成される

43 ピクチャ・イン・ピクチャで アニメーションを作成する

覚えておきたいキーワード

\# ピクチャ・イン・ピクチャ
\# キーフレーム
\# アニメーション

ピクチャ・イン・ピクチャは縮小されたムービーを表示するだけではなく、その位置や大きさに対して、動きを付けることができます。ここでは、ピクチャ・イン・ピクチャ・クリップのキーフレームアニメーションの作り方を解説します。

1 キーフレームアニメーションを作成する

1 ピクチャ・イン・ピクチャ・クリップを配置する

P.88～P.91の方法でピクチャ・イン・ピクチャ・クリップを配置し**1**、ビューア上で◄をクリックして、再生ヘッドをピクチャ・イン・ピクチャ・クリップの先頭に合わせます**2**。ビューア上部の[ビデオオーバーレイ設定]をクリックします**3**。

2 開始位置を指定する

ビューア上のピクチャ・イン・ピクチャ・クリップをドラッグしてアニメーション開始時の位置を指定し**1**、[キーフレームを追加]をクリックします**2**。

Memo [キーフレームを追加] が表示されない

[キーフレームを追加] は、ピクチャ・イン・ピクチャのトランジションが [ディゾルブ] でないと表示されません。それ以外のトランジションにしている場合は、コントロール内の [トランジションスタイル] から変更します。

3 終了位置を指定する

再生ヘッドをクリップの動きが終了する位置に移動します**1**。ビューア上でクリップをドラッグし、アニメーション終了時の位置を指定します**2**。

Section
43

ピクチャ・イン・ピクチャで
アニメーションを作成する

2 ドラッグする

1 移動する

Memo キーフレームは自動的に付く

一度キーフレームが作られると2つ目以降はキーフレームは自動的に作られるので、[キーフレームを追加] を毎回クリックする必要はありません。

4 アニメーションを確認する

ピクチャ・イン・ピクチャ・クリップをクリックして⏎を押し**1**、動きを確認します。

1 クリックして⏎を押す

第4章

便利な編集テクニックを知ろう

Step up 大きさの変化をアニメーションさせる

ピクチャ・イン・ピクチャ・クリップのコーナー部分をドラッグして大きさを指定すると、大きさが変化するアニメーションになります。

Hint 動きを修正／削除する

アニメーションの動きを修正する場合は、ビューア上の [前のキーフレーム] ／ [次のキーフレーム] をクリックし、修正したいキーフレームに移動します。その状態でピクチャ・イン・ピクチャの位置を移動すると、動きを修正できます。なお、キーフレームを削除する場合は [キーフレームを削除] をクリックします。

キーフレームを削除 ディゾルブ 0.5 秒

次のキーフレーム

前のキーフレーム

Section

44 吹き出しアニメーション を作成する

覚えておきたいキーワード
吹き出し
ピクチャ・イン・ピクチャ
透過PNG画像

ピクチャ・イン・ピクチャと透過PNG 画像の合成を組み合わせることで、通常ではできない表現をすることができます。ここでは応用例として、吹き出し画像を使ったアニメーションについて解説します。

1 透過PNG画像で吹き出しを作成する

1 下地を用意する

command + shift + 3 を押して、画面のスクリーンショットを撮ります。P.110の方法でプレビューで画像を開いたら、command + a を押して画面全体を選択し、delete を押して全体を削除します **1**。

Memo スクリーンショットはなぜ必要？

プレビューには新規画像を作成する機能がないので、すでにある画像を開いてから内容を削除して下地にします。

1 全体を削除する

2 [吹き出し (会話)]を クリックする

[ツール]メニュー→[注釈]→[吹き出し(会話)] の順にクリックします **1**。

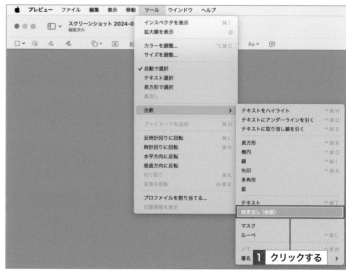

1 クリックする

3 吹き出しを調整する

丸いハンドルをドラッグして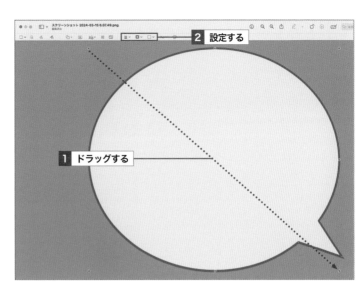、吹き出しの形を調整します。[線のカラー]で吹き出しの枠線を、[塗りつぶしのカラー]で吹き出しの背景色をそれぞれ設定し、[シェイプのスタイル]で枠線の太さを設定します❷。

Memo 吹き出しのツノの位置を変更したい

吹き出しのツノの根元にある緑色のポイントをドラッグするとツノの位置を変更できます。また、ツノの先をドラッグするとツノの先の位置を変更できます。

4 文字を入力する

吹き出し内をダブルクリックして文字を入力します❶。ツールバーの[テキストスタイル]からフォントの種類、フォントサイズ、文字の色などを設定します❷。

Step up 吹き出しに対して文字が小さい

フォントサイズは最大200までとなっています。文字の余白が大きすぎる場合は吹き出しのサイズを小さくしてバランスを整えましょう。

5 透過PNG画像で保存する

[ファイル]メニュー→[書き出す]の順にクリックします。ファイル名と保存先を指定します❶。フォーマットが[PNG]、[アルファ]がオンになっていることを確認し❷、[保存]をクリックします❸。

Memo スクリーンショットを削除する

使い終わったスクリーンショット画像がデスクトップにあるので、削除しておきましょう。

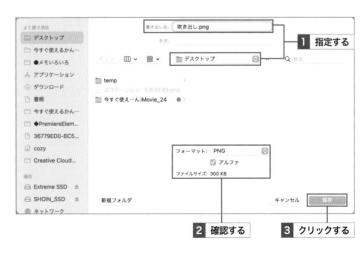

1 iMovieで読み込む

P.28の方法でiMovieにファイルを読み込み、タイムライン上にカットアウェイで配置します**1**。ビューア上部の[ビデオオーバーレイ設定]をクリックします**2**。

2 アニメーションを設定する

ビデオオーバーレイを[ピクチャ・イン・ピクチャ]に設定し**1**、P.112の方法でアニメーションを設定します**2**。

3 アニメーションを確認する

再生ヘッドをアニメーションの少し前に移動し**1**、▶をクリックして動きを確認します**2**。

第 5 章

タイトルやBGMを追加しよう

45 タイトルや字幕を追加する

覚えておきたいキーワード
タイトル
タイトルのスタイル
字幕

iMovieには、いろいろな動きやスタイルのタイトルが用意されています。タイトル機能を使えば、オープニングタイトルを追加したり、場面転換時に日付の字幕を入れるなど、ムービーにテキストを重ねることができます。

1 タイトルを追加する

1 タイトルを表示する

ブラウザ上部の[タイトル]をクリックし、ブラウザにタイトルを一覧表示します■。

Hint テーマのタイトルを使用する

テーマを使用している場合、独自のタイトルを使用することができます。[テーマなし]で作成した場合でも、[ウインドウ]メニュー→[テーマセレクタ]をクリックし、テーマを設定することで、任意のテーマのタイトルを使用することができます。

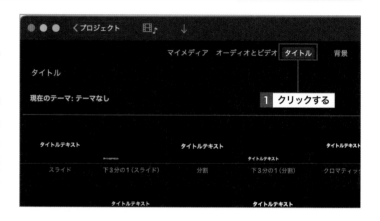

2 タイトルを追加する

タイムラインでタイトルを挿入したい位置をクリックします■。ブラウザで使用したいタイトルをダブルクリックすると■、クリップの上部にタイトルが追加されます。

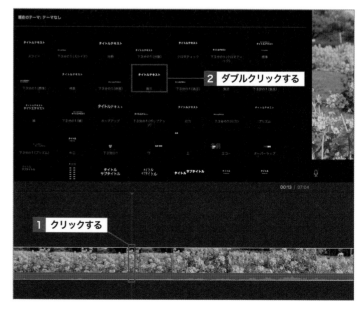

Hint タイトルの動きを確認する

タイトルの動きは、ブラウザのサムネールをポインタでスキミングすることで確認できます。

3 テキストを入力する

タイムライン上のタイトルをダブルク
リックし**1**、ビューア上でテキストを新し
く入力します**2**。

タイトルのスタイルの中には、字幕に利用
できるスタイルもあります。ムービーに字
幕を追加して、ムービーの完成度をアップ
させましょう。

2 タイトルの継続時間や位置を変更する

1 継続時間を変更する

タイムラインのタイトルの端部を左右に
ドラッグすると、タイトルの継続時間を
変更することができます**1**。

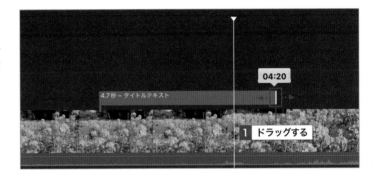

2 タイトルを移動する

タイムラインでタイトルをドラッグする
と、タイトルを表示したい位置まで移動
できます**1**。

Step up タイトルをクリップの先頭に揃える

[表示] メニュー→[スナップ] の順にクリック
し、スナップを有効にします。タイムラインで
タイトルをクリップの先頭近くまでドラッグす
ると、黄色い線が表示されてクリップの先頭に
スナップします**1**。
クリップの先頭だけでなく、クリップの末尾、
再生ヘッドやマーカーにもスナップします。

3 タイトルのスタイルを置き換える

1 タイトルのスタイルを変更する

タイムライン上のタイトルをクリックし❶、ブラウザ上部の［タイトル］をクリックします❷。変更したいタイトルのスタイルをダブルクリックします❸。

2 文字のスタイルを再設定する

タイトルのスタイルを置き換えると、設定していた文字のスタイルが解除されます。必要に応じて、次ページの方法でフォントや色などを再設定します❶。

Hint タイトル文字が全部表示されない

タイトルによってサブタイトルの有無や、扱える文字数に違いがあります。その場合は、タイトルのフォントや文字サイズなどを変更して調整しましょう。

4 タイトルを削除する

1 タイトルを削除する

タイムライン上の削除したいタイトルをクリックし❶、［編集］メニュー→［削除］の順にクリックすると❷、タイトルを削除できます。

Hint その他の操作

タイトルをクリックし、[delete]を押してもタイトルを削除できます。

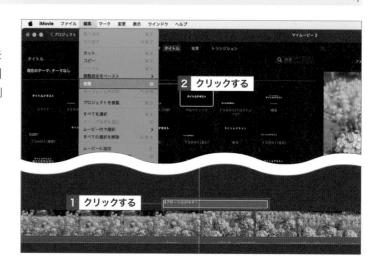

46 タイトルのフォントや色を指定する

覚えておきたいキーワード

\# タイトル
\# フォントのスタイル
\# テキストカラー

各タイトルは、設定を変更して見た目を調整することができます。より作品のイメージに合った書体や色を設定したり、読みやすくなるように文字の大きさを整えたり、枠線を付けたりすることが可能です。

---

1 フォントや色を指定する

1 フォントを指定する

タイムライン上のタイトルをダブルクリックし、変更したい文字列をドラッグして選択します**1**。その後、[フォント]ポップアップメニューから使用したい書体を選択します**2**。

> **Memo フォントが変更できない**
>
> 一部のタイトルは、フォントの種類やサイズ、位置揃えなど、スタイルが変更できないものがあります。

2 色や太字を指定する

色や太字などのスタイルを指定します**1**。編集が確定したら、ビューアの上にある[適用]をクリックします**2**。

> **Memo 文字の色が変更されない**
>
> 色を指定中に別の操作を行うと、タイトルに色が反映されなくなることがあります。その場合は、再度[テキストカラーを設定する]をクリックしてから色を指定しなおします。

121

47

効果音やBGMを追加する

覚えておきたいキーワード
\# サウンドエフェクト
\# ミュージックライブラリ
\# BGMウェル

iMovieでは、既存の音源から効果音を追加したり、ミュージックライブラリに保存された楽曲をBGMとして利用することができます。また、長すぎるBGMをムービーに合わせて自動トリミングしてくれる機能もあります。

1 効果音を追加する

1 サウンドエフェクトを表示する

ブラウザ上部の[オーディオとビデオ]をクリックし**1**、「ライブラリ」リストから[サウンドエフェクト]をクリックします**2**。ブラウザ左上のプルダウンメニューから設定したいジャンルを選択します**3**。ここでは例として、「サウンドエフェクト」をクリックします。

2 サウンドエフェクトを追加する

ブラウザから対象となるサウンドエフェクトをタイムライン上にドラッグして追加します**1**。オーディオの一部を追加する場合は、ブラウザ上部に表示されている波形をドラッグして選択し、タイムラインへドラッグします。

📝 Memo オーディオの波形が表示されない

波形が表示されない場合は、タイムラインの右上にある[設定]をクリックし、[波形を表示]をクリックしてオンにします。

2 ミュージックライブラリからBGMを追加する

1 ミュージックライブラリを表示する

ブラウザ上部の[オーディオとビデオ]を
クリックし**1**、「ライブラリ」リストから
[ミュージック]をクリックします**2**。
ミュージックに含まれているオーディオ
データがブラウザに表示されます**3**。

> **Hint** プレイリストを表示したい
>
> ブラウザ左上のポップアップメニューから
> ミュージックの各コンテンツにアクセスで
> きます。プレイリストが作成されていれば、
> このポップアップメニューに表示されます。

2 BGMを追加する

ブラウザでBGMにしたい曲をタイムライ
ンの[BGMウェル]にドラッグすると、
BGMが追加されます**1**。
ドラッグせずにキーボードの[e]を押すと、
プロジェクトの先頭に追加されます。

> **Memo** BGMウェルに配置されたオーディオ
>
> BGMウェルに配置されたバックグラウン
> ドオーディオは、ビデオクリップとは異な
> るタイムラインを持っているので、配置や
> 長さを変えてもお互いに影響することはあ
> りません。

> **Step up** BGMがムービーに対して長すぎる場合
>
> BGMがムービーに対して長すぎる場合は、タイムラインの右上
> にある[設定]をクリックします**1**。[BGMをトリム]をクリック
> してオンにすると、BGMがムービーの長さに合わせてトリミン
> グされます**2**。
> なお、トリミングされたBGMはクリップの端部をドラッグして
> 継続時間を変更できます。

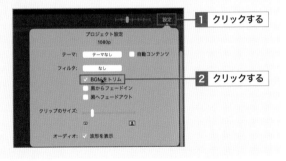

48 オーディオの音量を調整する

ビデオクリップの音声やBGMなど、オーディオはムービーの臨場感を高め、ムービーをよりよく見せる演出効果がありますが、音量は適切に調整する必要があります。iMovieの音量調整の方法を知っておきましょう。

1 音量を手動で調整する

1 音量コントロールをドラッグする

タイムラインで、オーディオクリップまたは音声付きのビデオクリップの波形にある、音量コントロールを上下にドラッグします**1**。

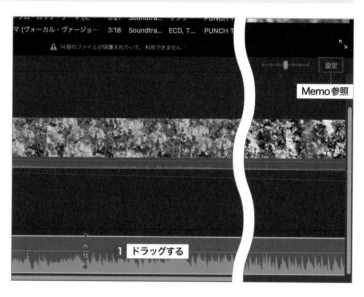

📝 **Memo** 波形を表示する

波形が表示されていない場合は、タイムラインの右上にある[設定]をクリックし、[波形を表示]をクリックしてオンにします。

2 音量を調整する

音量コントロールをドラッグ中に、元の音量を基準とした割合が表示されます**1**。表示を参考に、音量を調整します。

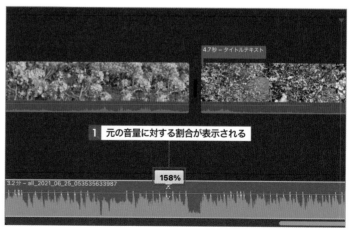

☀ **Hint** 複数のクリップの音量をまとめて調整する

複数のクリップの音量をまとめて調整するには、command を押しながらクリップをクリックして、複数選択します。その後、ビューアー上部の[ボリューム]をクリックし、[ボリューム]スライダを左右にドラッグして調整します。

2　音量を部分的に調整する

1　クリップの一部を選択する

⌘を押し、範囲セレクタが表示されたら、
ドラッグして音量を調整したい範囲を選
択します**1**。

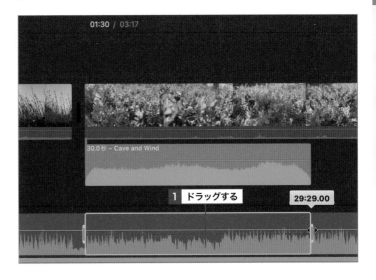

2　音量を調整する

手順**1**で作った選択範囲内で、波形の音
量コントロールを上下にドラッグし、音
量を調整します**1**。

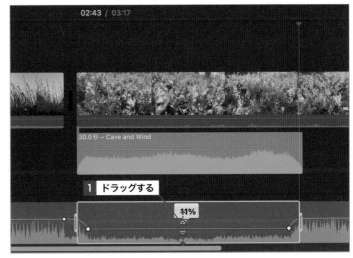

Step up　音量を自動で調整する

ビューア上部の[ボリューム]をク
リックし**1**、[自動]をクリックす
ると、音量が自動的に調整されま
す**2**。

◀ Section ▶

49 オーディオの音量を 詳細に調整する

覚えておきたいキーワード
\# キーフレーム
\# キーフレームを削除
\# 音量コントロール

動画に含まれる音声や効果音、BGMは、キーフレームを追加することで部分的に音量を調整することができます。また、BGMの音量を抑えて動画側の音声を聞かせたい場合などに使えるテクニックを紹介します。

1 キーフレームで音量を微調整する

1 キーフレームを追加する

タイムライン上のクリップの波形上にある音量コントロールを option を押したままクリックし、2つ以上のキーフレームを追加します**1**。

2 キーフレームの位置を移動する

フレームを左右にドラッグし、オーディオの音量を変更したい位置に移動します**1**。

3 音量を変更する

キーフレーム、またはキーフレーム間の音量コントロールを上下にドラッグすると、オーディオの音量を変更することができます**1**。

Hint キーフレームを削除する

キーフレームを削除するには、 control を押しながらキーフレームをクリックし、[キーフレームを削除]をクリックします。まとめて削除する場合は、 shift を押しながら複数選択してから削除します。

2 選択したクリップのオーディオを優先する

1 メインのクリップを選択する

タイムライン上で、聞かせたいオーディオが含まれるクリップを選択します**1**。

1 選択する

2 [ほかのクリップの音量を下げる]をクリックする

ブラウザ上部の[ボリューム]をクリックし**1**、[ほかのクリップの音量を下げる]をクリックしてオンにします**2**。

1 クリックする　2 クリックする

3 効果を確認する

選択したクリップが再生されている間は、ほかのクリップの音量が下げられたのが確認できます**1**。音量の下げ幅を調整するには、[ほかのクリップの音量を下げる]スライダを調整します**2**。

1 効果を確認する　2 調整する

Section

50 オーディオの音質を調整する

覚えておきたいキーワード
背景ノイズを軽減
イコライザプリセット
ボイスエンハンス

iMovieには、ムービーのオーディオの音質を調整するための機能として、背景ノイズを軽減する機能や、イコライザのプリセットが備わっています。撮影シーンに合わせて調整してみましょう。

1 背景ノイズを軽減する

1 [ノイズリダクションおよびイコライザ]をクリックする

タイムライン上の対象となるクリップをクリック後、ビューア上部の[ノイズリダクションおよびイコライザ]をクリックします■。

2 [背景ノイズを軽減]をクリックする

[背景ノイズを軽減]をクリックしてオンにし■、スライダを右にドラッグします■。割合を大きくすると、背景ノイズをより軽減できます。

2 特定の音域を強調／軽減する

1 [ノイズリダクションおよびイコライザ]をクリックする

タイムライン上の対象となるクリップをクリック後、ビューア上部の[ノイズリダクションおよびイコライザ]をクリックします1。

2 イコライザプリセットを選択する

[イコライザ]ポップアップメニューから、プリセットをクリックして適用します1。

Key Word イコライザ

イコライザとは、特定の音域を強調／軽減する機能です。iMovieでは、いくつかのプリセットが用意されています。

Step up イコライザプリセットの種類

手順2で表示されるイコライザのプリセットには、以下の種類があります。

・フラット：イコライザを使用していない状態です
・ボイスエンハンス：ボーカルや話し声などを強調する設定です
・ミュージック強調：オーディオ全体を強調します。音量が大きくなるので注意が必要です
・ラウドネス：高音と低音を強調します
・ハムリダクション：ハムノイズ（「ジーッ」というノイズ）を軽減します
・低域増強：低音を強調します
・低域軽減：低音を抑えます
・高域増強：高音を強調します
・高域軽減：高音を抑えます

51 オーディオに 特殊効果を与える

覚えておきたいキーワード

\# オーディオエフェクト
\# ピッチダウン
\# ピッチアップ

オーディオエフェクトを使うと、タイムライン上に配置したオーディオクリップの音に変化を与えることができます。再生速度はそのままでピッチだけを変更したり、エコーをかけてオーディオに厚みを持たせたりすることができます。

1 オーディオエフェクトを適用する

1 クリップを選択する

タイムライン上に配置した、オーディオエフェクトを適用したいクリップをクリックし①、ビューア上部の[クリップフィルタとオーディオエフェクト]をクリックします②。

2 オーディオエフェクトを選択する

[オーディオエフェクト]のボタンをクリックし①、ポップアップ画面から適用したいオーディオエフェクトをクリックすると②、エフェクトがすぐに反映されます。

Hint エフェクトをプレビューする

オーディオエフェクトの内容を適用前にプレビューするには、各エフェクトのサムネールにポインタを合わせます。

3 オーディオエフェクトを削除する

適用されたオーディオエフェクトを削除するには、再度、手順 2 の画面を表示し、[なし] をクリックします 1。

Memo オーディオエフェクト一覧

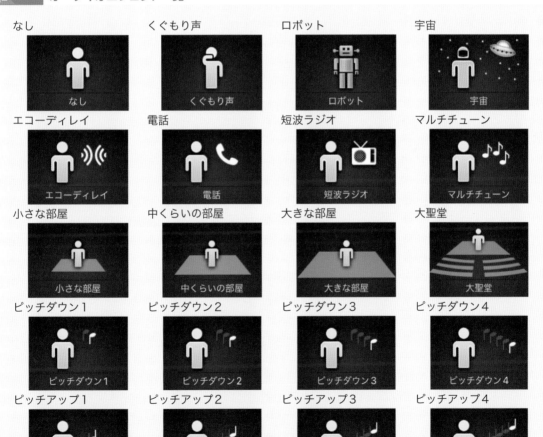

52 ナレーションを録音する

覚えておきたいキーワード
\# アフレコ
\# 録音
\# ミュート

クリップ内に含まれる音声やBGM以外に、後からムービーに対してナレーションやコメントを入れたい場合は、アフレコ録音の機能を使います。マイク非搭載のMacを使っている場合は、外付けマイクを使用しましょう。

1 アフレコを録音する

1 録音位置を決定する

タイムライン上でナレーションを入れたい位置をクリックし**1**、[ウインドウ]メニュー→[アフレコを録音]の順にクリックして、アフレコ録音コントロールを表示します**2**。

Memo その他の操作

ビューアの左下にある[アフレコを録音]のボタンをクリックしても、アフレコ録音コントロールが表示されます。

2 アフレコを録音する

[録音]をクリックすると、録音開始までのカウントダウンがはじまり、その後、録音が開始されます**1**。再度、[録音]をクリックすると、録音が停止します。

3 オーディオクリップが追加される

アフレコが完了すると、オーディオクリップが追加されます**1**。[完了]をクリックしてアフレコを終了します**2**。

📝 Memo アフレコの間はほかのオーディオ音量が下がる

アフレコを録音すると、その間のほかのクリップのオーディオ音量はダッキングされ、再生時にナレーションの邪魔にならないよう、音量が自動的に下がります。音量を調整する方法は、P.124を参照してください。

2 外付けマイクを使って録音する

1 マイクを接続する

外付けマイクをMacに接続します。[ウィンドウ]メニュー→[アフレコを録音]の順にクリックし、アフレコ録音コントロールを表示します**1**。

2 [入力ソース]を設定する

[アフレコのオプション]をクリックします**1**。[入力ソース]から別途接続した外付けのマイクを選択したら**2**、前ページ手順**2**の方法でアフレコを録音します。

📊 Step up 録音時にプロジェクトの音声をオフにする

録音時、プロジェクトに含まれる音声が再生されて困る場合は、手順**2**の画面で[プロジェクトをミュート]をクリックしてオンにします。

53 映像のオーディオを 切り離して使用する

覚えておきたいキーワード
ビデオクリップ
オーディオを切り離す
BGM ウェル

オーディオは、効果音やBGMだけ、という訳ではありません。動画素材として収録したビデオクリップの中から、音声だけを切り離して使用することも可能です。

1 ビデオクリップのオーディオを切り離して使用する

1 オーディオを切り離す

タイムライン上で、オーディオを切り離したいビデオクリップをクリックし、[変更]メニュー→[オーディオを切り離す]の順にクリックします 1 。

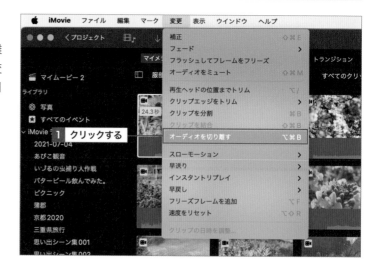

2 切り離したオーディオを確認する

オーディオが切り離されたことを確認します 1 。切り離したオーディオは、通常のオーディオクリップと同じように使用できます。

Memo 切り離したオーディオ

切り離したオーディオは、通常のオーディオクリップと同じ扱いになります。そのため、位置を移動したり、BGMウェルに追加することができるようになります。

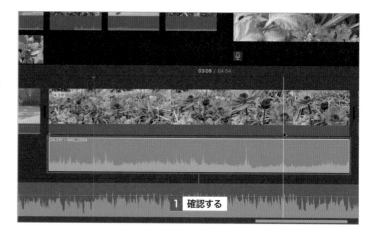

2 ビデオクリップからオーディオのみを読み込む

1 クリップをタイムラインに追加する

ブラウザ上のビデオクリップを、タイムライン上のビデオクリップの下部にドラッグします **1**。

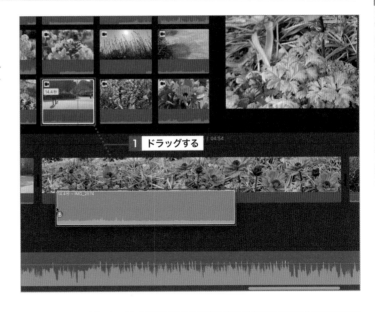

1 ドラッグする

2 オーディオのみ追加された

オーディオだけがタイムラインに追加されました **1**。

1 追加された

Memo BGMウェルにも配置できる

タイムラインのBGMウェルにドラッグすると、ビデオクリップのオーディオがBGMウェルに配置されます。

Step up 音を先行して鳴らす演出をする

オーディオを切り離した状態でオーディオクリップの左端を左にドラッグすると、クリップで未使用のオーディオを鳴らすことが可能です。これを利用すれば、クリップの音だけを先行して鳴らす、という演出が行えます。

54 オーディオをフェードイン／フェードアウトする

覚えておきたいキーワード

\# フェードイン
\# フェードアウト
\# フェードハンドル

オーディオの音量をクリップの最初から徐々に大きくすることをフェードイン、終わりに向けて徐々に小さくすることをフェードアウトといいます。ここでは、フェードイン、フェードアウトの設定方法を解説します。

1 オーディオをフェードイン／フェードアウトする

1 波形を表示する

タイムライン右上の[設定]をクリックし**1**、[波形を表示]をクリックしてオンにします**2**。

2 フェードハンドルをドラッグする

クリップオーディオ波形にポインタを合わせると、端部にある[フェードハンドル]が表示されます。ハンドルを左右にドラッグすると、フェードイン／フェードアウトの時間を指定できます**1**。

第**6**章

編集したムービーを
書き出そう

55

メールでムービーを共有する

覚えておきたいキーワード

\# 共有
\# メール
\# 予想ファイルサイズ

iMovieでは、作成したムービーをいろいろな方法で共有することができます。「メール」は、メールで送信するのに適したサイズでムービーを出力し、自動的にメールに添付してくれる機能です。

1 メールで共有する

1 共有を開く

プロジェクトを開いている場合は画面左上の[プロジェクト]をクリックします。「プロジェクト」画面で共有したいムービーをクリックし**1**、◉をクリックします**2**。

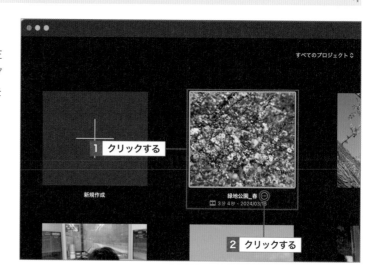

2 メールを選択する

表示されるメニューから[プロジェクトを共有]→[メール]をクリックします**1**。

2 ムービーの設定をする

1 ムービーの設定をする1

メール設定画面が表示されます。タイトル部分をクリックし**1**、ムービーのタイトルを入力します**2**。同様に、ビデオの説明、タグも入力します**3**。

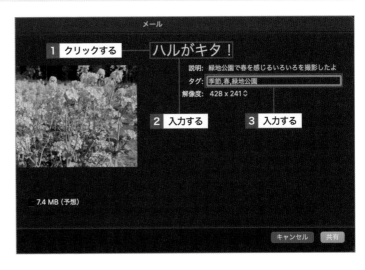

2 ムービーの設定をする2

ムービーの解像度を設定し**1**、[共有]をクリックします**2**。出力が開始されます。

Memo メール共有時の注意

サムネールの下部に出力後の予想ファイルサイズが表示されます。ムービーの解像度を指定する際は必ず確認しましょう。10MBよりも大きいファイルサイズになると警告が表示されます。

3 メールを送信する

出力が完了後、メールソフトが起動し、ムービーファイルが添付された新規メッセージが開きます**1**。メールの送信先と本文を記載してメールを送信します。

Memo ファイルサイズが大きすぎる場合

ムービーのファイルサイズが大きいとメールを送れない場合があります。そのような場合はYouTubeなどの動画共有サービスを利用しましょう（P.140参照）。

56 YouTubeに ムービーを公開する

覚えておきたいキーワード
YouTube
動画共有サイト
Facebook

編集したムービーを多くの人に見てもらうなら、動画共有サイトを利用するのがベストです。ここではYouTubeを例にとって、出力の方法とアップロードの方法について解説します。

1 YouTubeで共有する

1 共有を開く

プロジェクトを開いている場合は画面左上の[プロジェクト]をクリックします。「プロジェクト」画面で共有したいムービーをクリックし**1**、💬をクリックすると表示されるメニューから[プロジェクトを共有]→[ソーシャルプラットフォーム]をクリックします**2**。

2 ムービーを出力する

「ソーシャルプラットフォーム」設定画面が表示されたらP.139を参考に設定をし、[次へ]をクリックします。ファイル名と保存場所を指定し**1**、[保存]をクリックします**2**。

📝 Memo　出力はすぐに完了するの?

出力が完了するまでは少し時間がかかります。画面右上に出力状況が表示されます。

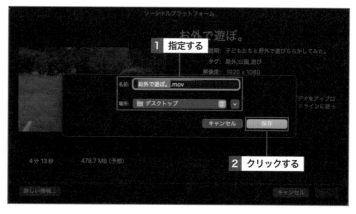

2 YouTubeにアップロードする

1 YouTubeにアクセスする

YouTube (https://www.youtube.com)
にアクセス、ログインし、ページ右上の [作成] → [動画をアップロード] の順にクリックします■。

📑 **Memo** アップロードにはアカウントが必要

アップロードにはYouTubeのアカウントが必要です。あらかじめアカウントを取得しておきましょう。

2 ファイルをアップロードする

前ページで作成したファイルをウェブブラウザの「動画のアップロード」画面内にドラッグします。アップロードが始まったら詳細情報を入力し■、[次へ] をクリックします■。

3 動画の設定をする

動画の要素を設定し、[次へ] をクリックします。公開設定を設定し■、[保存] をクリックすると■、ムービーのアップロードが完了します。

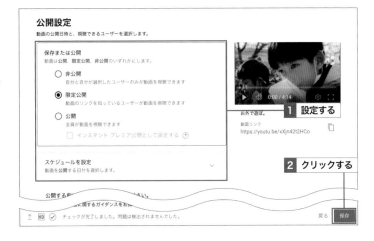

57 ムービーを ファイルとして出力する

覚えておきたいキーワード
Quick Time Player
H.264
AAC

iMovie で編集したムービーは、iMovie のプロジェクトとして存在するだけ で、単独のムービーファイルとしては扱えません。ほかのアプリケーション でムービーを使用するためには、ファイルとして出力する必要があります。

1 ムービーをファイルとして出力する

1 [ファイル]をクリックする

プロジェクトを開いている場合は、画面 左上の ＜プロジェクト をクリックします。 「プロジェクト」画面で共有したいムー ビーをクリックし**1**、 😊 をクリックしま す**2**。[プロジェクトを共有]→[ファイル] の順にクリックします**3**。

2 ムービーの設定をする

ムービー情報が表示されます。タイトル、 説明、タグを入力し**1**、ムービーの解像 度（サイズ）、品質、圧縮方法を設定しま す**2**。[フォーマット]は[ビデオとオーディ オ]のままにします。[次へ]をクリックし ます**3**。

📝 Memo **ファイルサイズを確認する**

設定によって最終出力されるファイルのサ イズが変わってきます。サムネールの下部 に予想ファイルサイズが表示されるので、 目安にするといいでしょう。

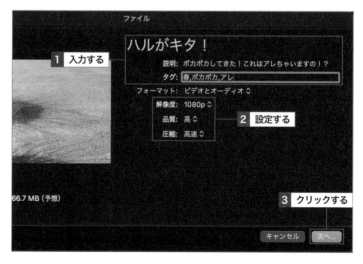

3 名前と保存先を指定する

出力するファイルの名前を確認し**1**、保存場所を指定します**2**。[保存]をクリックし**3**、保存を実行します。

4 ムービーを確認する

出力が完了すると画面右上に通知が表示されるので、[表示]をクリックし、出力されたファイルをダブルクリックします。Quick Time Playerが開くので、▶をクリックしてムービーを確認します**1**。

Step up 動画の一場面を静止画として保存する

動画の一場面を静止画として保存することができます。タイムライン上で再生ヘッドをドラッグして目的の場面を表示します。[共有]ボタンをクリックし、[現在のフレームを保存]をクリックすると画像の保存画面が表示され、jpg形式で保存することができます。

58 DVD作成ソフトをインストールする

覚えておきたいキーワード
DVD作成ソフト
Burn
光学ドライブ

iMovieで作成したムービーファイルを、DVDプレイヤーで再生できる形式でDVDに書き込むには、別途光学ドライブとソフトウェアが必要です。本書では有志によって開発された無料ソフト「Burn」を使って解説します。

1 Burnをダウンロードする

1 ソフトウェアのページにアクセスする

Safariを起動し、「http://burn-osx.sourceforge.net/」にアクセスします**1**。ページ右側にある[Download Burn]をクリックし、ダウンロードページにアクセスします**2**。

Memo 光学ドライブが必要

DVDの作成には光学ドライブが必要です。Macに光学ドライブが搭載されていない場合は、DVDに書き込みできる外付け光学ドライブを用意する必要があります。

2 ダウンロードを開始する

ページを読み込み後、しばらく待つと、自動的にダウンロードが開始されます。ダウンロードの許可を求められたら[許可]をクリックします**1**。

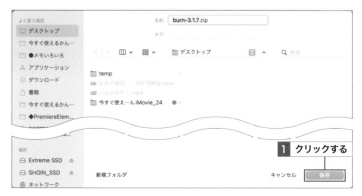

Memo どこに保存されたか分からなくなった

ブラウザの標準では、ファイルの保存先は[ダウンロード]フォルダに指定されています。

2 Burnをインストールする

1 Finderを表示する

Dockの[Finder]をクリックし**1**、Finderを表示します**2**。

2 [ダウンロード]をクリックする

サイドメニューの[ダウンロード]をクリックします**1**。フォルダ内に[Burn]フォルダがあることを確認します**2**。

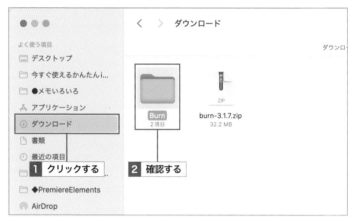

3 アプリケーションフォルダに移動する

[Burn]フォルダをサイドメニューの[アプリケーション]にドラッグし、アプリケーションフォルダに移動させます**1**。これでインストールは完了です。

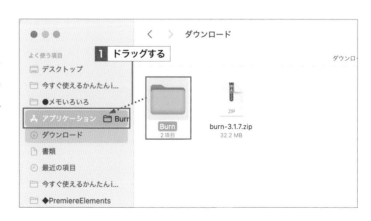

Hint Safari以外のWebブラウザを使用した場合

Safari以外のWebブラウザを使用した場合は、圧縮ファイルの状態で保存されます。解凍してからアプリケーションフォルダに移動させてください。

Section ◀ ▶

59

DVDを作成する

覚えておきたいキーワード
ディスク名
DVD-Video
mpg

ここでは、DVD の作成ソフト「Burn」を使った、DVD への書き込み操作について解説します。なお、ディスク名のタイトルには、半角英数文字しか使用できないので注意が必要です。

1 Burnを使ってDVDに書き込む

1 Burnを起動する

P.144〜P.145でインストールした[Burn]をダブルクリックし、アプリケーションを起動します■。

Hint ファイルが開けない

メッセージが表示されて開けない場合は、[control]を押しながらクリックし、[開く]を選択します。さらにメッセージが表示されたら[開く]をクリックします。

2 ディスク名を入力する

メイン画面の上部にある[Video]をクリックします■。ディスク名に半角英数でタイトルを入力します②。

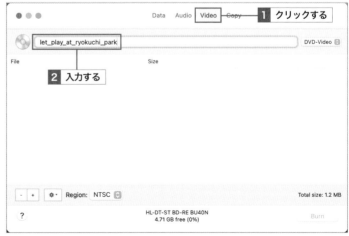

Memo ディスク名の使用文字について

ディスク名のタイトルは必ず半角英数で入力してください。日本語を入力すると、出来上がったDVDのタイトルが文字化けして読み取りできなくなります。

3 ファイル形式を指定する

ファイル形式ポップアップメニューから
[DVD-Video]をクリックします**1**。

4 ムービーファイルを追加する

DVDに収録するムービーファイルを指定
するために、[+]をクリックします**1**。

Memo 追加するムービーファイルについて

あらかじめiMovieで、ムービーをファイル
として保存しておく必要があります。ムー
ビーをファイルとして保存する方法につい
てはP.142を参照してください。

5 ムービーファイルを指定する

あらかじめ保存しておいたムービーファ
イルを指定し**1**、[Open]をクリックしま
す**2**。

6 [変換]をクリックする

読み込んだファイルを、DVD-Video用の
ファイル形式に変換するかどうかの確認
画面が表示されます。[Convert]をクリッ
クします**1**。

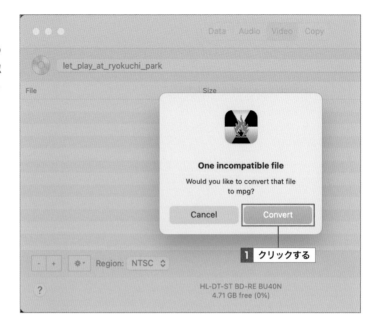

Memo 確認画面が表示されない

読み込むムービーファイルがmpg 形式の
場合は、確認画面は表示されません。その
まま手順8 に進みます。

7 変換ファイルを出力する

変換したファイルを保存する場所を指定
します**1**。[Region] ポップアップメ
ニューから [NTSC] をクリックし**2**、
[Choose] をクリックすると、変換がは
じまります**3**。

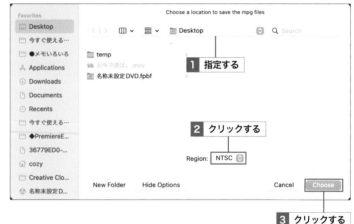

8 Burnにファイルが追加された

ファイルの変換が完了すると、同じ名前
で拡張子が [.mpg] のファイルがBurnの
リストに追加されます**1**。同様の手順で、
収録したいムービーをすべて追加します。

9 メニューを非表示にする

デフォルトでは、DVDの冒頭にBurn固有のメニューが表示されるように設定されています。ここでは、[オプション]をクリック後**1**、[Use DVD theme] をクリックしてオフにして**2**、メニューを非表示にします。

10 ディスクを作成する

内容を確認後、DVDドライブに空のDVDメディアをセットして [Burm] をクリックすると**1**、ドライブの指定、書き込み速度の設定を行うパネルが表示されます。再度[Burm] をクリックすると**2**、DVDへの書き込みがはじまります。

11 DVDの作成が完了した

書き込みが終了すると、自動的にDVDプレーヤーが起動します。実際に再生して確認します**1**。

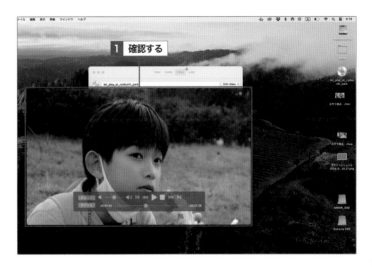

編集したムービーが長時間になってしまったり、ファイルサイズが大きくなってしまった場合に、iMovieでは範囲を指定して出力する機能がありません。ここでは編集した動画を複数に分けて出力する方法について解説します。

1 動画を分割する

対象となるプロジェクトを開き、分割したい位置に再生ヘッドを移動します。クリップを選択し、P.46を参考にクリップを分割します。

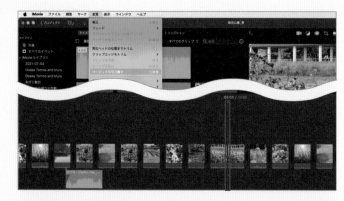

2 プロジェクトを複製する

[プロジェクト]をクリックしてプロジェクト画面に戻ります。手順1を行ったプロジェクトのプロジェクト名右側のボタンをクリックし、[プロジェクトの複製]を選択します。

3 クリップを削除する

手順1のプロジェクトを開き、手順1で分割した後半のクリップをすべて選択し、delete を押して削除します。ムービー前半のプロジェクトとなります。プロジェクト画面に戻ります。

4 後半のプロジェクトを作成する

手順2で複製したプロジェクトを開き、前半部分のクリップを選択し、同様に削除します。このプロジェクトがムービーの後半になります。

第 **7** 章

iPad ／ iPhone で iMovie を使おう

60 iPadOS ／ iOS版iMovie をインストール／起動する

覚えておきたいキーワード

\# App Store
\# iOS／iPadOS版iMovie
\# プロジェクト

iPadOS／iOS版iMovieの現在のバージョンは3.0.3（2024年6月現在）です。iPadOS／iOS版iMovieは、Mac版と同様のムービー編集が可能ですが、インターフェイスは大きく異なります。

1 iPadOS／iOS版iMovieをインストールする

1 App Storeを起動する

iPadOS／iOSデバイスのホーム画面で、[App Store]アプリを起動し、画面右下の[検索]をクリックします。検索フィールドに「iMovie」と入力し**1**、 🔙 をタップして検索します**2**。

Memo 本書の使用画面

本書では、iPadのランドスケープモード（横位置）の画面を使用して解説しています。

2 iMovieをインストールする

iMovieが表示されたら[入手]をタップし**1**、インストールします。

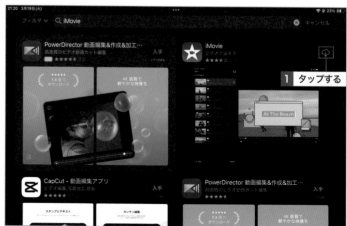

2 iPadOS／iOS版iMovieを起動する

1 iMovieを起動する

ホーム画面から［iMovie］をタップし、起
動します。初回起動時はiMovieの紹介画
面が表示されるので、［続ける］をタップ
します**1**。

2 プロジェクトブラウザが開く

プロジェクトブラウザが開きました**1**。
プロジェクトの作成方法はP.158を参照し
てください。

3 iMovieを終了する

iMovieを終了するにはiPadOS／iOSデ
バイスのホームボタンを押すなどして、
ホーム画面に移動します**1**。編集作業中
であっても、次回起動時には、終了した
時点から作業を再開することができま
す。なお、自動保存が適用されるのは、
タイムライン上にクリップを配置してか
らになります。

61 iPadOS版iMovieの画面構成を知る

iPadでは、ポートレートモード（縦位置）で使用する場合とランドスケープモード（横位置）で使用する場合でインターフェイスが異なります。ただし、iPadは画面サイズが大きいため、使いやすく調整されています。

1 iPadOS版iMovieの画面構成

ランドスケープモード（横位置）

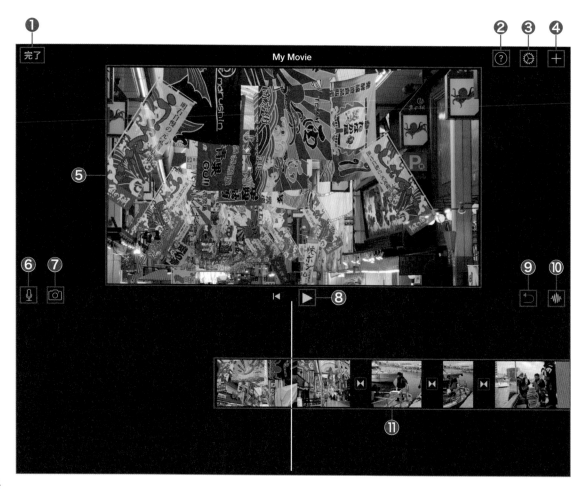

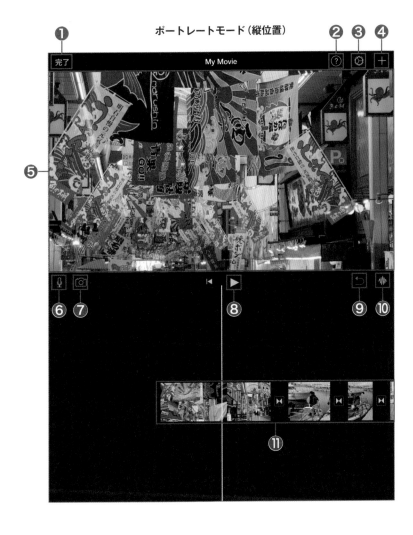

ポートレートモード（縦位置）

名称	内容
❶[完了]	プロジェクトの詳細画面に戻ります。
❷[ヘルプ]	各ボタンや画面などにヘルプを表示します。表示しながら作業を進めることも可能です。
❸[プロジェクト設定]	テーマを切り替えたり、ムービーの先頭／最後のフェードインを設定したりできます。
❹[メディアを追加]	ビデオや写真、オーディオの各メディアを管理するライブラリを表示します。メディアライブラリを表示した状態で、ビューア上部のエリアを右側にドラッグすると配置を変更できます。
❺ビューア	編集中の映像を確認します。編集内容は即座に反映されるので、内容を確認しながら作業を進めることができます。
❻[ボイスオーバー]	アフレコでナレーションを録音する際に使用します。
❼[カメラ]	カメラが起動します。撮影されたビデオや写真は直接タイムラインに配置されます。
❽[再生]	作成中のプロジェクトをプレビューします。
❾[取り消す]	作業を取り消したり、やり直したりする場合に使用します。
❿[波形]	タイムライン上のクリップに含まれる音声を波形として表示します。
⓫タイムライン	動画や音楽などのクリップを配置して、編集を行うエリアです。左右にドラッグして再生ヘッドを移動します。ピンチすると、時間軸を拡大／縮小できます。

62

iOS版iMovieの
画面構成を知る

覚えておきたいキーワード

\# ポートレートモード
\# ランドスケープモード
\# メディアライブラリ

iPhoneでは、ポートレートモード（縦位置）で使用する場合とランドスケープモード（横位置）で使用する場合でインターフェイスが異なります。場合により、作業手順が異なる場合があるので、あらかじめ確認しておきましょう。

1 iOS版iMovieの画面構成

ランドスケープモード（横位置）

Step up 画面下部にバーが表示される

iPhoneの画面は小さいため、非常にシンプルな画面構成になっています。通常は非表示になっていますが、クリップをタップすると画面下部にバー（インスペクタ）が表示されるようになっています。

ポートレートモード（縦位置）

名称	内容
❶［完了］	プロジェクトの詳細画面に戻ります。
❷［メディアを追加］	ビデオや写真、オーディオの各メディアを管理するライブラリを表示します。メディアライブラリを表示した状態で、ビューア上部のエリアを右側にドラッグすると配置を変更できます
❸［再生］	作成中のプロジェクトをプレビューします。
❹［ヘルプ］	各ボタンや画面などにヘルプを表示します。表示しながら作業を進めることも可能です。
❺［プロジェクト設定］	テーマを切り替えたり、ムービーの先頭／最後のフェードインを設定したりできます。
❻［取り消す］	作業を取り消したり、やり直したりする場合に使用します。
❼ビューア	編集中の映像を確認します。編集内容は即座に反映されるので、内容を確認しながら作業を進めることができます。
❽タイムライン	動画や音楽などのクリップを配置して、編集を行うエリアです。左右にドラッグして再生ヘッドを移動します。ピンチすると、時間軸を拡大／縮小できます。

Section

63 プロジェクトを作成する

覚えておきたいキーワード
プロジェクト
ムービー
テーマ

iPadOS／iOS版iMovie も、Mac 版と同じ手順でムービーを作成していきます。本書では、iPadのランドスケープモード（横位置）で使用した画面で解説しています。

1 新規プロジェクトを作成する

1 新規プロジェクトを作成する

画面下部の［新規プロジェクトを開始］をタップします**1**。現在の画面が編集画面の場合は、［完了］→［プロジェクト］の順にタップして、いったんプロジェクトブラウザに戻ります。

2 ［ムービー］をタップする

新規プロジェクト画面で、通常のムービーか、マジックムービー、またはストーリーボードかを指定します。ここでは、［ムービー］をタップします**1**。予告編の作成方法については、P.78を参照してください。

3 メディアを選択する

編集素材として使用したいビデオをタップ
して選択します**1**。このとき、長押しする
と拡大表示されます。選択が完了したら
[ムービーを作成]をタップします**2**。

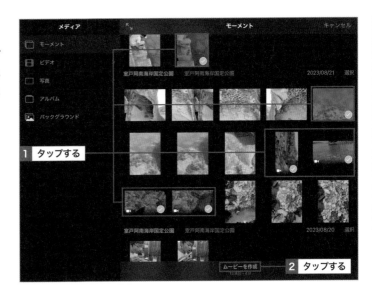

📑 Memo　ムービーの解像度について

iPhoneまたはiPadのiMovieでは、プロ
ジェクト内のクリップの解像度が一番高い
クリップに合わせてムービーが作成されま
す。フルHDサイズ(1,920 x 1,080ピクセ
ル)のクリップと4Kサイズ(3,840×2,160
ピクセル)が同じプロジェクトにある場合
は4Kサイズで出力されます。

4 プロジェクトが作成された

プロジェクトが作成されました**1**。選択
したクリップが自動的にタイムラインに
並べられます。

📊 Step up　テーマを変更する

プロジェクトを作成すると、
自動的に[シンプル]という
テーマが適用されます。この
テーマを変更するには、画面
右上の[プロジェクト設定]
をタップし**1**、好みのテーマ
をタップして選択します**2**。

64 クリップを タイムラインに追加する

覚えておきたいキーワード
カットアウェイ
スプリットスクリーン
ピクチャ・イン・ピクチャ

ムービー作成時に選択したビデオは自動的にタイムラインに配置されますが、編集時にクリップを追加したいこともあるでしょう。ここでは、タイムラインにクリップを追加で配置する方法について解説します。

1 クリップを追加する

1 ビデオを表示する

➕をタップし、［ビデオ］→［すべて］の順にタップします**1**。

✦ Hint クリップをプレビューする

ライブラリ上のクリップを左右にスワイプすると、ビューアにプレビューが表示されます。

2 タイムラインにクリップを追加する

クリップをタップし**1**、⊕をタップします**2**。クリップの一部分だけを追加したい場合は、タップして選択後、黄色い枠の端をドラッグしてトリミング範囲を調整してから⊕をタップします。

📝 Memo 枠がドラッグできない

iCloud上のビデオはダウンロードしてから使用します。

2　カットアウェイなどで配置する

1　カットアウェイで配置する

カットアウェイ（P.84参照）で読み込むには、再生ヘッドを挿入位置に移動後、配置したいビデオクリップをメディアライブラリで選択し**1**、［…］→［カットアウェイ］をタップします**2**。タイムライン上で追加したクリップを長押しすると、ドラッグで挿入するタイミングを調整できます。

2　ピクチャ・イン・ピクチャで配置する

ピクチャ・イン・ピクチャ（P.88参照）で読み込むには、手順**1**の画面で［ピクチャ・イン・ピクチャ］をタップします**1**。タイムライン上でクリップをタップし**2**、ビューア上の［移動］をタップしてドラッグすると表示枠の移動、ピンチで拡大縮小、［ズーム］をタップ後、ピンチすることで枠内の映像の拡大縮小がそれぞれ行えます。

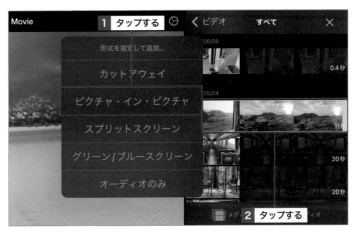

3　スプリットスクリーンで配置する

スプリットスクリーン（P.92参照）で読み込むには、手順**1**の画面で［スプリットスクリーン］をタップします**1**。タイムライン上でクリップをタップし**2**、ビューア上の［ズーム］をタップし、それぞれの映像の位置と大きさを変更します。また、配置したタイムライン上のクリップを選択し、🔁 をタップすることで分割方向を切り替えることができます。

Section ◄ ►

65 クリップの基本操作を知る

覚えておきたいキーワード
移動
分割
削除

ムービーを思い通りに編集するには、クリップの操作をマスターする必要があります。ここでは、タイムラインに配置したクリップの長さや位置を変更したり、クリップを分割したりする方法について解説します。

1 クリップを移動する

1 クリップを長押しする

タイムライン上で、移動させたいクリップをタップして押したままにします■。

1 タップして押したままにする

2 クリップを移動する

そのまま移動させたい場所までドラッグして指を離すと、クリップが移動します■。

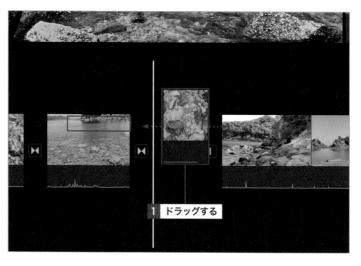

1 ドラッグする

※ Hint クリップの表示を小さくする

タイムライン上でピンチインすると、クリップの表示を小さくでき、クリップの移動がしやすくなります。なお、ピンチアウトすると、クリップの表示を大きくできます。

2 クリップの継続時間を調整する

1 クリップを選択する

タイムライン上で、継続時間を調整した
いクリップをタップして選択します**1**。
タップされたクリップが黄色い枠で囲ま
れます。

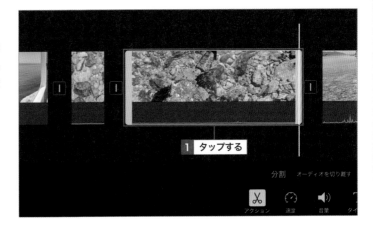

2 クリップの継続時間を調整する

クリップの端部（トリミングハンドル）を
ドラッグし、長さを調整します**1**。

3 クリップを分割する

1 クリップを分割する

タイムライン上でドラッグし、分割した
い位置まで再生ヘッドを移動します**1**。
分割したいクリップをタップします**2**。

> ### Hint フリーズフレームを追加する
>
> フリーズフレーム（P.98参照）は、フリーズ
> フレームを追加したい位置に再生ヘッドを
> 移動して、クリップをタップし、下から上
> へ指をスワイプさせると追加できます。

2 クリップが分割された

インスペクタから［分割］をタップすると
1、指定した位置でクリップが分割され
ます**2**。なお、再生ヘッド上で上から下
に指をスワイプさせることでも分割する
ことができます。

4 速度を変更する

1 速度を選択する

速度を変更したいクリップをタップして
選択し**1**、インスペクタの［速度］をタッ
プします**2**。

2 速度を調整する

スライダを左右にドラッグして速度を調
整します**1**。標準速度の1／8から最大2
倍までの速度を設定できます。

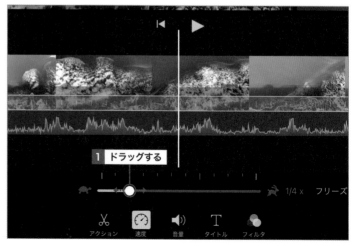

5　クリップを削除する

1　インスペクタから削除する

タイムライン上で削除したいクリップを
タップして選択します**1**。インスペクタ
の[削除]をタップすると、タイムライン
からクリップが削除されます**2**。

2　タイムライン上で削除する

タイムライン上で削除したいクリップを
タップしたままタイムラインの上の方に
ドラッグします**1**。[煙]アイコンが表示
されたら指を離し、削除完了です。

Hint　操作を取り消す／やり直す

編集が思い通りにいかなかった場合は、編集操作を取
り消しましょう。編集操作は[取り消す]をタップする
ことで取り消すことができます**1**。また、[取り消す]
をタップしたままにして[やり直す]をタップすると、
操作をやり直すことができます。

66 写真を追加する

覚えておきたいキーワード
カメラロール
Ken Burnsエフェクト
メディアライブラリ

ビデオクリップと同じように写真も素材として使用することができます。タイムラインに追加すると、自動的にKen Burnsエフェクトの移動／ズームのアニメーションが適用されます。

1 写真を追加する

1 写真を表示する

➕をタップして、［写真］→［すべて］の順にタップします**1**。写真を押したままにすると、ビューアにプレビューが表示されます。

Memo アルバム単位で読み込む

iOSの［写真］アプリであらかじめアルバムを作成しておけば、アルバム単位で表示することができます。

2 写真を追加する

ライブラリ上で目的の写真タップし**1**、⊕をタップします。Ken Burnsエフェクトが自動的に適用されたクリップとして、タイムラインに配置されます**2**。

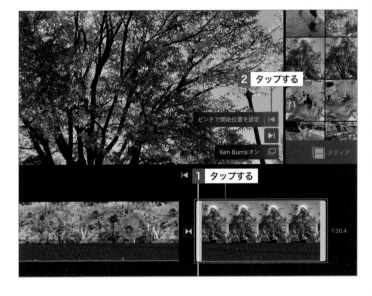
2 写真の動きを調整する

1 写真を選択する

タイムライン上の写真クリップをタップ
します**1**。ビューアの右下にある［開始］
をタップします**2**。

2 開始位置を設定する

ビューアに表示されている写真をドラッ
グして開始時に表示される位置を**1**、ピ
ンチして大きさをそれぞれ設定します**2**。

> **Hint** なるべく全体を表示したい
>
> 写真を画面の幅よりも小さくなるようにピ
> ンチすると、ムービーの枠に写真の幅が合
> うように表示されます。

3 終了位置を設定する

［終了］をタップし、同様に終了時に表示
される位置を設定します**1**。設定完了後
は、◀をタップし**2**、▶をタップして動
きを確認しましょう**3**。

> **Memo** 先頭に戻れない場合
>
> ◀がない場合は、クリップ上を左右にド
> ラッグして動きを確認します。

67 オーディオを追加する

覚えておきたいキーワード
\# オーディオ
\# テーマ曲
\# サウンドエフェクト

ムービーに使用するオーディオは、あらかじめiMovieに用意されている各テーマ曲や効果音のほかにも、各iOS／iPadOSデバイス内に保存されている曲を使用することができます。

1 オーディオを追加する

1 オーディオを表示する

➕をタップして［オーディオ］をタップすると、使用できるオーディオの種類が表示されます➊。追加したいオーディオの種類をタップします。

Ⓐサウンドトラック	iMovie であらかじめ用意された楽曲。BGM で使用するのにぴったりです。
Ⓑマイミュージック	ミュージックアプリにダウンロードしている曲を追加できます。
Ⓒサウンドエフェクト	iMovie に用意されている効果音。ムービーのアクセントとして使用すると効果的です。

2 オーディオを試聴する

メディアブラウザの曲名をタップすると➊、オーディオを再生して試聴することができます。

📝 Memo 使用不可の曲について

iCloudで管理している曲は各デバイスに曲をダウンロードすれば使用することができますが、デジタル著作権管理で保護されているなど、iMovieでは使用できない種類の曲もあります。

3 オーディオを追加する

目的のオーディオをタップし、⊕をタップすると**1**、タイムラインにオーディオが追加されます**2**。

2 オーディオの前面／背面と位置を調整する

1 オーディオの前面／背面を切り替える

オーディオクリップをタップし**1**、インスペクタの[アクション]をタップして**2**、[前面]／[背面]をタップすると、選択したオーディオをフォアグラウンド／バックグラウンドにそれぞれ移動させることができます**3**。

2 オーディオの位置を調整する

タイムライン上でオーディオクリップをタップしたまま左右にドラッグすると、オーディオの配置を変更することができます**1**。

Memo フォアグラウンドとバックグラウンド

タイムラインには、オーディオの配置位置として、青で表示されるフォアグラウンドと、緑で表示されるバックグラウンドがあります。バックグラウンドには1つのオーディオしかおけず、位置も調整できませんが、フォアグラウンドには同時に3つのオーディオをおくことができます。また、バックグラウンドのオーディオは、同時に再生されるビデオクリップの音を際立てるために、自動的に音量が低く調整されます。

68 トランジションを変更する

覚えておきたいキーワード
トランジション
ディゾルブ
ワイプ

クリップとクリップの間のつなぎ効果のことをトランジションといいます。必要に応じてトランジションを変更しましょう。iOS／iPadOS版iMovieでは、タイムラインにクリップを追加すると、自動的にディゾルブが適用されます。

1 トランジションを変更する

1 トランジションアイコンを選択する

タイムライン上で、クリップ間に配置されているトランジションアイコンをタップして選択します**1**。

2 スタイルを選択する

インスペクタに選択可能なトランジションのスタイルが表示されます。設定したいスタイルをタップします**1**。

Memo 選択できないトランジションがある

クリップの継続時間が短すぎてトランジションに必要な時間が確保できない場合、トランジションがグレーアウトして選択できません。

3　継続時間を指定する

インスペクタにあるトランジションの継続時間をタップします**1**。設定できる時間は前後のクリップの長さや使用するトランジションによって異なりますが、最大で2秒まで設定できます。

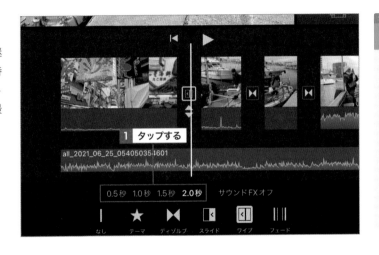

 **Memo　トランジションの種類**

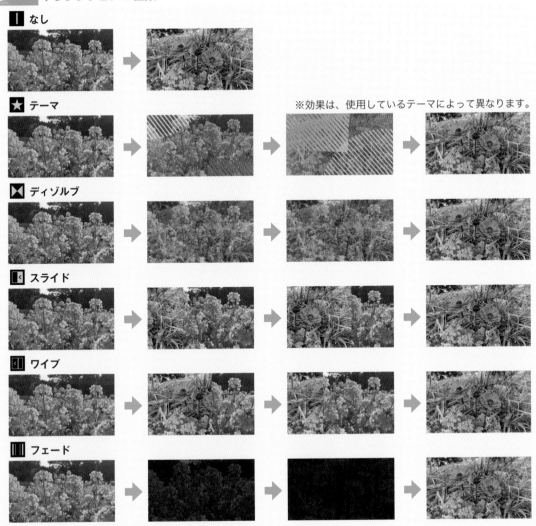

※効果は、使用しているテーマによって異なります。

なし

テーマ

ディゾルブ

スライド

ワイプ

フェード

1 詳細編集を開く

タイムライン上のトランジションアイコンをタップして選択します**1**。黄色の両矢印をタップします**2**。

🌟 Hint その他の操作

トランジションアイコンを上下にピンチアウトすることでも詳細編集が開きます。

2 トランジションの位置を詳細編集する

黄色い枠はビデオトランジション、青い枠はオーディオトランジションを示しています。左端と右端をそれぞれドラッグすることで、トランジションの開始位置と終了位置を調整できます**1**。また、トランジションアイコンをドラッグすると、開始、終了位置を同時に調整することができます。

3 詳細編集を終了する

黄色の両矢印をタップすることで、詳細編集を終了します**1**。

🌟 Hint その他の操作

トランジションアイコンを上下にピンチインすることでも、詳細編集を終了できます。

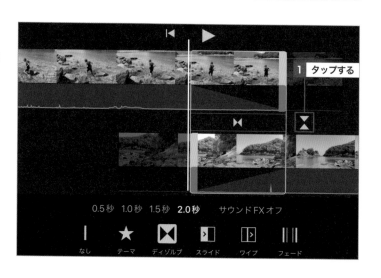

1 トランジションを選択する

トランジションにはサウンドエフェクトが設定されています。サウンドエフェクトを有効にするためには、タイムライン上のトランジションアイコンをタップして選択します**1**。

2 サウンドエフェクトを有効にする

インスペクタの[サウンドFXオフ]（iPhoneでは🔇）をタップして、サウンドエフェクトを有効にします**1**。無効にするには再度タップします。

3 サウンドエフェクトを確認する

タイムライン上でスワイプして再生ヘッドをトランジションの少し前に移動させ**1**、▶をタップしてサウンドエフェクトを確認します**2**。

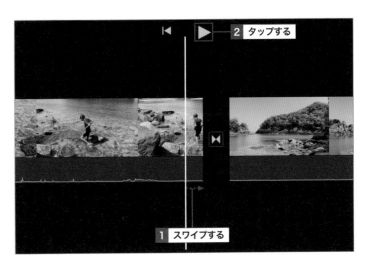

69 タイトルを追加する

覚えておきたいキーワード
タイトル
エフェクト
インスペクタ

タイムライン上に配置されたクリップ上にエフェクト付きのタイトルを追加して、ムービーの完成度をアップさせましょう。

1 タイトルを追加する

1 クリップを選択する

タイトルを入力したい部分のクリップをタップして選択し**1**、インスペクタの[タイトル]をタップします**2**。

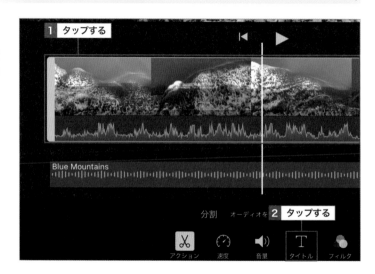

2 適用したいタイトルを選択する

タイトルのスタイル一覧が表示されるので、適用したいエフェクトをタップします**1**。

3 タイトルを編集する

プレビュー欄に「タイトルを入力」が表示されます。タイトル部分をタップしてタイトル文字を編集します■。編集完了後、⏎をタップします■。タイムライン上のクリップの左上に「T」アイコンが付きます。

2　タイトルの表示位置を変更する

1　クリップを選択する

タイムライン上に左上に「T」アイコンが付いたクリップをタップして選択し■、インスペクタの⚙をタップします■。

Step up　タイトルのサウンドエフェクトを有効にする

タイトルのサウンドエフェクトを有効にするには、手順■で［サウンドエフェクト］をタップしてサウンドエフェクトを有効にします。

2　タイトルの表示位置を変更する

スタイルをタップし、［中央］／［下］をタップすると■、タイトルの大きさと位置が変更されます■。テーマ独自のタイトルスタイルを使用している場合は、［オープニング］／［ミドル］／［エンディング］になります。

Memo　タイトルを自由に配置する

ビューワ上のタイトルをドラッグすることでタイトルの位置を自由に変更することができます。また、タイトルをピンチイン／アウトすると大きさを変更できます。

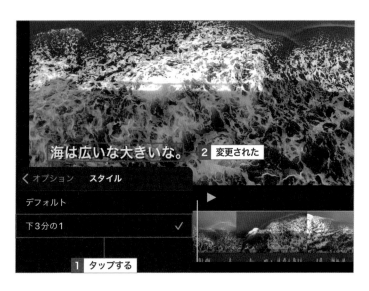

Section

70

背景パターンを追加する

iOS／iPadOS版iMovieには、背景を作成する機能があります。ソリッド（単色）やグラデーションだけでなく、パターン素材も利用可能です。ここでは、パターンをカスタマイズする方法について解説します。

1 バックグラウンドを追加する

1 バックグラウンドを追加する

編集画面右上にある ➕ をタップして[バックグラウンド]をタップします**1**。

Memo バックグラウンドがない

バックグラウンドが見当たらない場合は[メディア]をタップしてください。

2 パターンを選択する

パターンから対象となるサンプルをタップし**1**、➕ をタップします**2**。

2　パターンを設定する

1　パターンを設定する

タイムライン上に配置されたバックグラ
ウンドクリップをタップし**1**、ビューワ右
上の[カラーボタン]をタップします**2**。

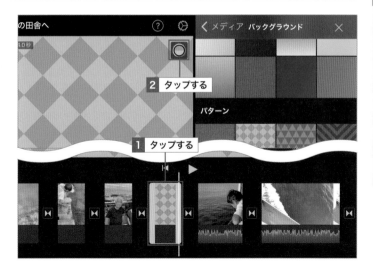

2　パターンのカラーを設定する

[プライマリーカラーボタン]をタップ
し**1**、お好きな色を設定します。[セカ
ンダリカラーボタン]も同様に色を設定
します。

> **Step up**　画面内の特定の色を使いたい
>
> 色の選択画面で、✐をタップすると、画面
> 内から特定の色を抽出することができます。

3　バックグラウンドを活用する

作成したバックグラウンドは、オープニ
ングのタイトル背景やエンディングのク
レジット背景などに活用できます。

71

作成したムービーを
出力／共有する

覚えておきたいキーワード

\# アプリ
\# LINE
\# 転送

iPadOS／iOS版iMovieでは、あらかじめインストールされたアプリのサービスと連携し、LINEやX、FacebookなどのSNSなどで共有することができます。ここではLINEを例にとって解説します。

1 プロジェクトを出力する

1 プロジェクト画面を開く

プロジェクト画面で共有・出力したいプロジェクトを選択し、[書き出しと共有]をタップし**1**、[ビデオを共有]をタップします**2**。

2 送信オプションを設定する

[オプション]をタップします**1**。

3 解像度を設定する

共有するムービーの解像度を設定します**1**。ここでは例として解像度[720P HD]を設定します。[完了]をタップします**2**。

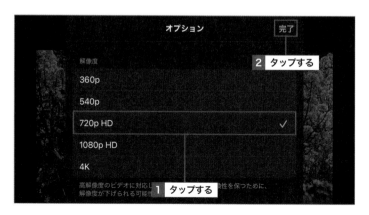

2 ムービーを出力する

1 アプリを選択する

共有可能なアプリアイコン一覧から利用
したいアイコンをタップします**1**。ここで
は、[LINE]アイコンをタップします。

📝Memo LINEが表示されない

LINEを指定するにはご使用の端末にあらか
じめLINEがインストールされている必要
があります。

2 送信先を指定する

送信先の選択画面が表示されます。ムー
ビーを送信したい相手をタップします**1**。

📝Memo 送りたい相手が表示されない

送信先一覧にムービーを送りたい相手が表
示されていない場合、[もっと見る]をタッ
プして送信先を選択してください。

3 メッセージを転送する

メッセージを入力し**1**、[転送]をタップ
します**2**。LINEメッセージが送信されま
す。LINEアプリを起動し、確認してみま
しょう。

📝Memo ファイルとして保存する

手順 1 の画面で上方向にスワイプすると表
示される[ビデオを保存]をタップします。

72

マジックムービーで
動画を作成する

覚えておきたいキーワード
\# マジックムービー
\# スタイル
\# ストーリーボード

マジックムービーを使用すると数回のタップだけで見栄えのするムービーを作成することができます。タイトルやトランジション、BGMなど、編集に手を加えることも可能です。

1 マジックムービーを作成する

1 マジックムービーを作成する

プロジェクト画面で［新規プロジェクトを開始］をタップし**1**、［マジックムービー］をタップします**2**。

2 素材を選択する

メディア選択画面で使用する素材クリップを選択します。ここでは［ビデオ］カテゴリをタップし、使用する素材クリップをタップして選択します**1**。［マジックムービーを作成する］をタップします**2**。

Step up 素材選択の順番

素材クリップを選択する順番でマジックムービー編集後の並びが変化します。ある程度映像の流れをイメージしながら選択する順番を決めましょう。

3 ムービーが作成された

選択した素材を元に自動的にムービーが
作成されます。[再生] ▶をタップして確
認します**1**。

2 クリップを編集する

1 クリップを選択する

ストーリーボードでいずれかのクリップ
の編集ボタン✐をタップし**1**、[クリップ
を編集]をタップします**2**。

> **Memo** 選択するのはどのクリップでもいいの？
>
> 編集画面に移行後、タップしたクリップが
> 選択状態になるだけなのでどのクリップを
> タップしても問題ありません。

2 テキストを編集する

編集画面で[T]アイコンが付与されたク
リップをタップし**1**、オプションから[テ
キスト]をタップします**2**。

3 テキストを修正する

キーボードのDelete⌫でダミーテキストを削除し**1**、ムービーのタイトルを入力します**2**。入力後、[完了]をタップし**3**、[戻る]をタップします**4**。

3 スタイルを設定する

1 スタイルをタップする

ストーリーボード画面上部のスタイル▦ボタンをタップします**1**。

2 スタイルを選択する

好みのスタイルをタップし**1**、適用されたプレビュー画面を確認します。[完了]をタップし**2**、ストーリーボード画面に戻ります。

⊟ Memo 表示されないスタイルがある

表示されないスタイルがある場合は一番右側の[すべてをダウンロード]をタップしてダウンロードしてください。

4 クリップを編集する

1 クリップを編集する

ストーリーボードでいずれかのクリップ
の編集ボタン🖉をタップし**1**、［クリップ
を編集］をタップします**2**。

2 クリップの長さを調整する

長さを調整したいクリップをタップし**1**、
黄色い枠の端部をドラッグします**2**。

Memo クリップの長さは自在に変更できるの？

素材の元の長さまで伸ばすことができま
す。

3 クリップを削除する

削除したいクリップをタップし**1**、オプ
ションから［削除］をタップします**2**。［戻
る］をタップしてストーリーボード画面に
戻ります**3**。

5 クリップを追加する

1 クリップを追加する

ストーリーボードで[+追加]をタップし
1、[ライブラリから選択]をタップしま
す**2**。

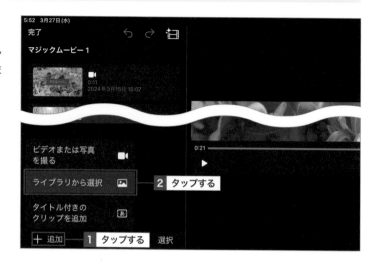

2 素材を選択する

カメラロールが表示されるので追加した
い素材をタップすると**1**、素材が自動的
に読み込まれます。

Hint 追加する前に素材の内容を確認したい

対象となる素材を長押しすると素材のプレ
ビューをすることができます。

3 クリップの順番を入れ替える

クリップを長押しし**1**、クリップのサイズ
が小さく表示されたらドラッグして**2**、
順番を入れ替えます。

1 ムービーを出力する

［書き出しと共有］をタップし**1**、［ビデオと共有］をタップします**2**。Sec.73を参考に、ムービーを出力するか、［完了］をタップして**3**、プロジェクト画面に戻ります。

Step up クリップのオプションについて

クリップの編集で設定できるオプションには以下のものがあります。

編集	✂	再生ヘッドの位置を起点に、▣ 後ろを削除、▣ 分割、▣ 前を削除
タイトル	🔤	タイトルのレイアウトデザインを変更します
テキスト	Aa	［T］アイコンのあるクリップでテキストを変更します
音量	🔇	クリップの音量、BGMの音量を個別に調整します。
ミュージック	♪	BGMを設定します。
アフレコ	🎤	ナレーションを収録します。
速度	⏱	クリップのスピードを設定します。
置き換える	🔄	選択中のクリップを別のクリップで置き換えます
削除	⊗	選択中のクリップを削除します。

73

ストーリーボードで
動画を作成する

覚えておきたいキーワード
- \# ストーリーボード
- \# スタイル
- \# コンテ

ストーリーボードを使用するとあらかじめ用意されたストーリーのコンテに沿って素材クリップを当てはめていくだけで統一感のある動画に仕上げることができます。

1 ストーリーボードを作成する

1 新規プロジェクトを開始する

プロジェクト画面で[新規プロジェクトを開始]をタップし **1**、[ストーリーボード]をタップします **2**。

2 ストーリーボードを選択する

用意されたストーリーボードから目的のものを選択し、タップします **1**。

3 スタイルを選択する

好みのスタイルをタップし**1**、適用されたプレビュー画面を確認します。[作成]をタップし**2**、ストーリーボード画面に戻ります。

2 ストーリーボードを編集する

1 ストーリーボードを編集する

ストーリーボードで用意されたコンテの編集アイコンをタップし**1**、[ライブラリから選択]をタップします**2**。P.184を参考に対象となるクリップを読み込みます。

2 ビデオを共有する

すべてのコンテにクリップを読み込んだら、[書き出しと共有]をタップし**1**、[ビデオと共有]をタップします**2**。Sec.71を参考に、ムービーを出力するか、[完了]をタップして**3**プロジェクト画面に戻ります。

74 iPad／iPhoneで編集した ムービーをMacで開く

覚えておきたいキーワード
送信
オプション
プロジェクト

iOS／iPadOS版iMovieは、Mac版iMovieとプロジェクトを共有することができます。ここでは、プロジェクトの共有の方法について解説します。なお、Mac版iMovieからiOS／iPadOS版iMovieへの共有はできません。

1 プロジェクトを共有する

1 オプションを設定する

プロジェクトブラウザで対象となるプロジェクトをタップし、詳細画面の［書き出しと共有］をタップします**1**。［プロジェクトを書き出す］をタップします**2**。

2 プロジェクトを共有する

AirDropをタップし**1**、使用しているMacをタップします。プロジェクトの送信が開始されます。あらかじめ、Mac側のAirDropを受信可能な状態に設定しておきましょう。

3 Macでプロジェクトを読み込む

送信完了後、Mac版iMovieで［ファイル］メニュー→［iMovie iOSプロジェクトを読み込む］の順にクリックし**1**、ダウンロードフォルダに送信されたプロジェクトファイルを指定します。

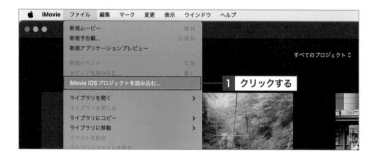

Word

用語集

AAC（エーエーシー）

オーディオデータの圧縮形式のひとつで、それまでのMP3形式よりも圧縮率が高く高音質なのが特徴です。

DVD-Video

DVDに動画を収録する際に記憶媒体としてデータを保存しただけでは、DVDビデオとして再生することはできません。DVD-VideoとしてDVDに出力することで、一般のDVDプレーヤーでも再生が可能になります。

H.264（エイチニロクヨン）

動画データの圧縮形式（コーデック）のひとつで、圧縮率が高いのが特徴です。身近なところでは、YouTubeにも使用されています。

mp4（エムピーフォー）

動画のコンテナフォーマットのひとつで、ビデオとオーディオをまとめておくものです。アップルではビデオの拡張子を「.m4v」として保存します。

PNG（ピング）

jpg、gifと並ぶ画像形式のひとつで、主にホームページ素材として用いられます。透明度情報を持たせることができるので、画像の合成に利用することができます。

イコライザ

あらかじめ設定されたイコライザプリセットにより、オーディオを補正します。高音域を強調したり音楽を強調したりできます。

イベント

iMovieに読み込んだビデオクリップや写真、それらを使用してつくられたプロジェクトなどをまとめておくためのものです。イベントを作成する際は日付だけではなく、内容を表したタイトルをつけておくと後の管理がしやすくなります。

キーフレームアニメーション

複数のフレームでの状態をキーとして記憶させ、キー間の動きを補完することで動きを表現するアニメーション方法です。

スキミング

ブラウザまたはタイムラインのクリップ上でポインタを動かして内容を確認する再生方法です。スキミングすると、ビューアにその内容が表示されます。

ダッキング

複数のオーディオが重なって再生される場合、一方の音量を一時的に下げ、引き立たせることです。アフレコを録音すると、その他のオーディオが自動的にダッキングされます。

ノイズリダクション

音声に含まれるノイズを軽減する機能です。背景に含まれる遠くの雑踏の音や風の音を、全体のボリュームを落とすことなく軽減します。

ビデオコーデック

動画データを圧縮する圧縮形式のことで、MPEG-2やH.264など、数多くの種類があります。

フェードイン／フェードアウト

クリップが徐々に表示されたり、ボリュームが大きくなったりすることをフェードイン、その逆をフェードアウトといいます。余韻を残したい場合に使うと効果的です。

フレーム

映像の最小単位のことです。ビデオの場合は通常、1秒間に30フレームの静止画像が更新されています。秒間60フレームの動画では、より動きが滑らかになります。

ミュート

オーディオを消音状態にすることです。

索引

お問い合わせについて

本書に関するご質問については、本書に記載されている内容に関するもののみとさせていただきます。本書の内容と関係のないご質問につきましては、一切お答えできませんので、あらかじめご承くださ
い。また、電話でのご質問は受け付けておりませんので、必ずFAXか書面にて下記までお送りください。
なお、ご質問の際には、必ず以下の項目を明記していただきますよう、お願いいたします。

1　お名前
2　返信先の住所またはFAX番号
3　書名（今すぐ使えるかんたん iMovie動画編集入門 [改訂4版]）
4　本書の該当ページ
5　ご使用のOS
6　ご質問内容

お送りいただいたご質問には、できる限り迅速にお答えできるよう努力いたしておりますが、場合によってはお答えするまでに時間がかかることがあります。また、回答の期日をご指定なさっても、ご
希望に応えできるとは限りません。あらかじめご承くださいますよう、お願いいたします。

問い合わせ先

〒162-0846
東京都新宿区市谷左内町 21-13
株式会社技術評論社　書籍編集部
「今すぐ使えるかんたん iMovie動画編集入門 [改訂4版]」質問係
FAX番号　03-3513-6167
URL：https://book.gihyo.jp/116

お問い合わせの例

FAX

1 お名前

技術　太郎

2 返信先の住所またはFAX番号

03-XXXX-XXXX

3 書名

今すぐ使えるかんたん
iMovie動画編集入門 [改訂4版]

4 本書の該当ページ

101ページ

5 ご使用のOS

macOS Ventura（13.5）
iMovie（10.4）

6 ご質問内容

手順3で設定が
解除できない。

※ご質問の際に記載いただきました個人情報は、回答後速やかに破棄させていただきます。

今すぐ使えるかんたん
iMovie動画編集入門 [改訂4版]

2014年　6月25日　初　版　第1刷発行
2024年　8月 7日　第4版　第1刷発行

著　者●山本 浩司
発行者●片岡 巌
発行所●株式会社 技術評論社
　　　　東京都新宿区市谷左内町 21-13
　　　　電話　03-3513-6150　販売促進部
　　　　　　　03-3513-6160　書籍編集部
編集●原田 崇靖
装丁●田邉 恵里香
本文デザイン●菊池 祐
DTP●技術評論社 酒徳葉子
製本／印刷●株式会社シナノ

定価はカバーに表示してあります。

ISBN978-4-297-14263-6 C3055
Printed in Japan